AUSTRIA & SWITZERLAND

# contents

| | |
|---|---|
| **Map pages** | ii |
| **Map symbols** | iii |
| **Route-planning map** | iv |
| **Distance chart** | 1 |
| **Road atlas** | 2-39 |
| **Index and city environs plans** | 40-60 |

| | | | |
|---|---|---|---|
| Berlin | 41 | Salzburg | 55 |
| Bern | 42 | Wien | 59 |
| Köln | 49 | Zürich | 60 |
| München | 51 | | |

**2nd edition February 1998**
1st edition February 1996

Published by AA Publishing (a trading name of Automobile Association Developments Limited, whose registered office is Norfolk House, Priestley Road, Basingstoke, Hampshire RG24 9NY. Registered number 1878835).

Mapping produced by the Cartographic Department of The Automobile Association. This atlas has been compiled and produced from the Automaps database utilising electronic and computer technology.

ISBN 0 7495 1758 1

A CIP catalogue for this book is available from The British Library.

Printed in Great Britain by BPC Waterlow Ltd, Dunstable.

The contents of this atlas are believed to be correct at the time of printing. Nevertheless, the publishers cannot be held responsible for any errors or omissions, or for changes in the details given. They would welcome information to help keep this atlas up to date; please write to the Cartographic Editor, Publishing Division, The Automobile Association, Norfolk House, Priestley Road, Basingstoke, Hampshire RG24 9NY.

# map pages

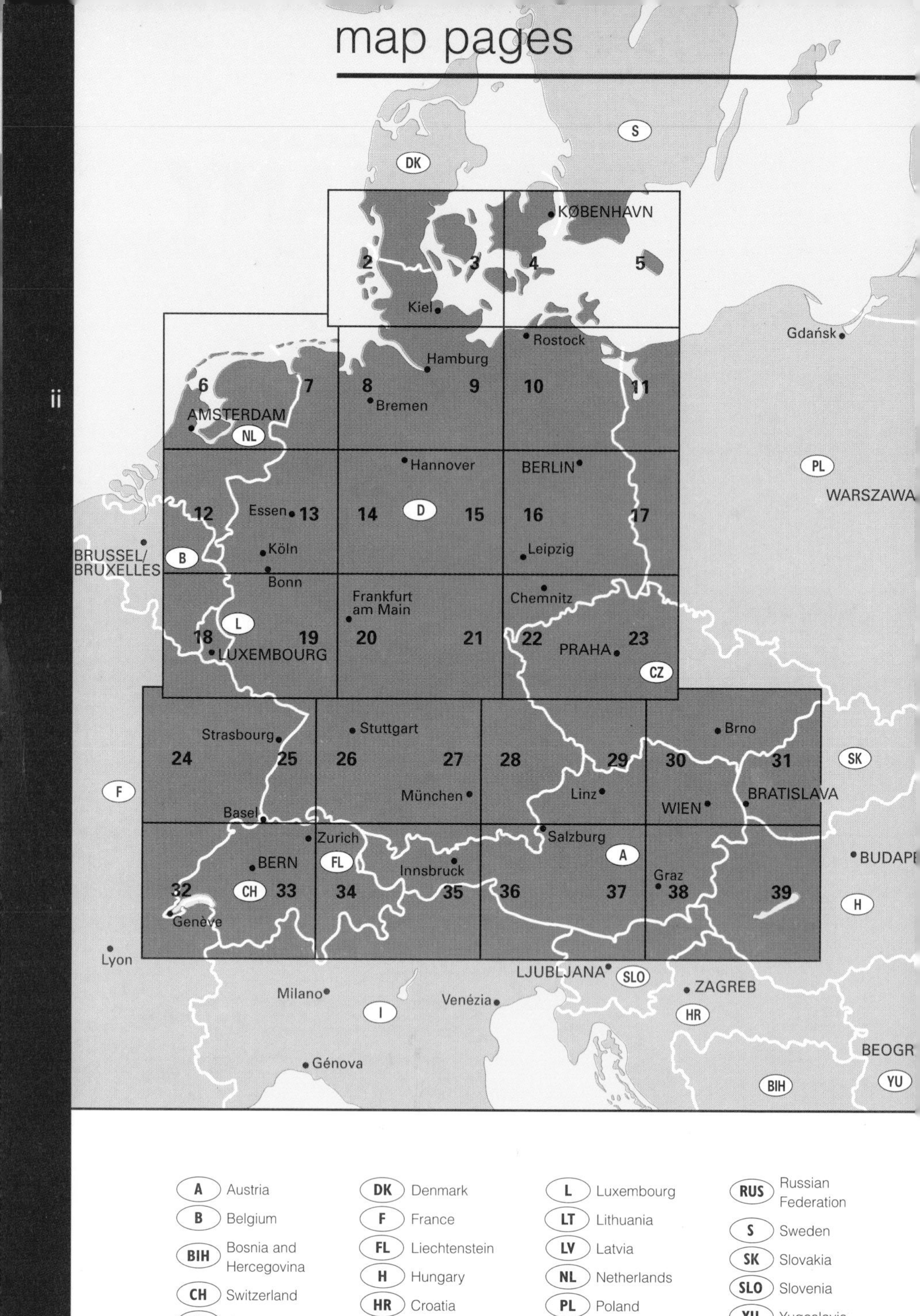


| | | | | | | | |
|---|---|---|---|---|---|---|---|
| A | Austria | DK | Denmark | L | Luxembourg | RUS | Russian Federation |
| B | Belgium | F | France | LT | Lithuania | S | Sweden |
| BIH | Bosnia and Hercegovina | FL | Liechtenstein | LV | Latvia | SK | Slovakia |
| CH | Switzerland | H | Hungary | NL | Netherlands | SLO | Slovenia |
| CZ | Czech Republic | HR | Croatia | PL | Poland | YU | Yugoslavia |
| D | Germany | I | Italy | RO | Romania | | |

# map symbols

## Toll motorways

- A55 E55 — Dual carriageway with road numbers
- Single carriageway
- Interchange
- Restricted interchange
- Service area
- Under construction

## Non-toll motorways

- A55 E55 — Dual carriageway with road numbers
- Single carriageway
- Interchange
- Restricted interchange
- Service area
- Under construction

## National roads

- SS45 — Dual carriageway with road number
- Single carriageway

## Regional roads

- SS45 — Dual carriageway with road number
- Single carriageway

## Local roads

- SS453 — Dual carriageway with road number
- Single carriageway
- D28 — Minor road with road number

Page overlap and number

## Symbols

- E55 E55 — European international network numbers
- Motorway in tunnel
- Road in tunnel
- Road under construction
- Toll point
- 24 — Distances in kilometres
- Gradient 14% and over
- Gradient 6%-13%

Mountain pass with closure period

- 3970 EIGER — Spot height (metres)
- Ferry route (all year)
- Hovercraft (all year)
- Airport (International)
- Car transporter (rail)
- Mountain railway
- Motor racing circuit
- Viewpoint (180° or 360°)
- Urban area
- Town location
- Canal
- Wooded area

## Boundaries

- International
- National
- Unrecognised international
- Restricted frontier crossing

# scale

**1:1 000 000**

10 kilometres : 1 centimetre

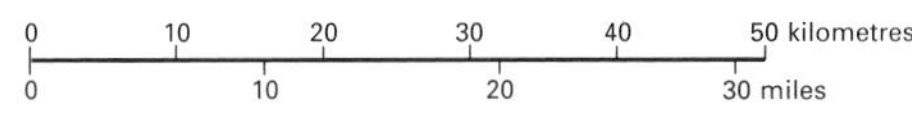


16 miles : 1 inch

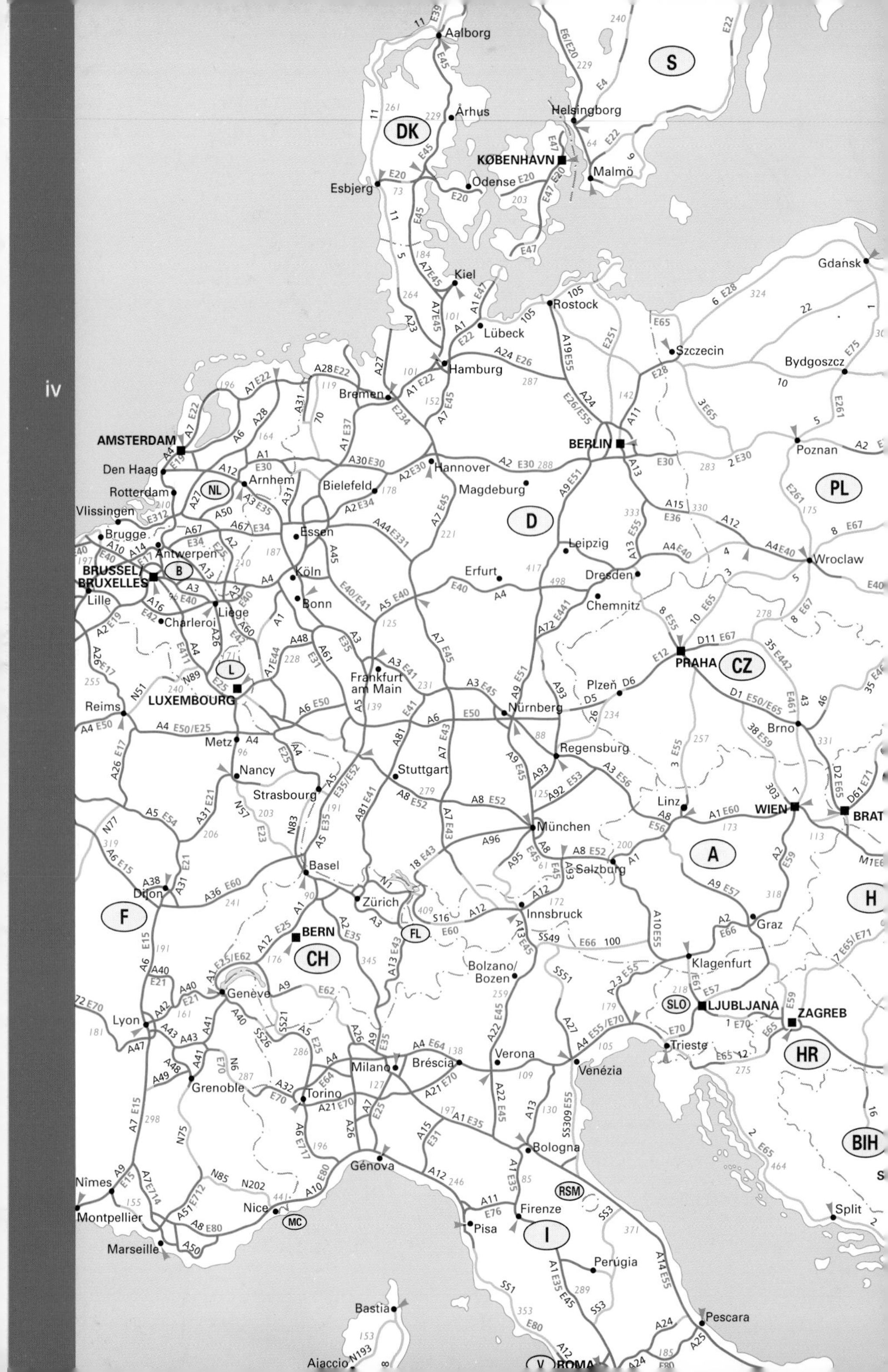
S
DK
Aalborg
Århus
Helsingborg
KØBENHAVN
Malmö
Esbjerg
Odense
Kiel
Rostock
Lübeck
Gdańsk
Szczecin
Bydgoszcz
Hamburg
Bremen
AMSTERDAM
Den Haag
Rotterdam
Vlissingen
NL
Arnhem
Bielefeld
Hannover
Magdeburg
BERLIN
Poznan
PL
D
Brugge
Antwerpen
Essen
BRUSSEL/
BRUXELLES
B
Köln
Leipzig
Dresden
Wroclaw
Erfurt
Chemnitz
Lille
Bonn
Liège
Charleroi
PRAHA
CZ
L
Frankfurt
am Main
Plzeň
Reims
LUXEMBOURG
Nürnberg
Brno
Metz
Regensburg
Nancy
Stuttgart
Strasbourg
Linz
WIEN
BRAT
München
A
Basel
Salzburg
Dijon
H
Zürich
Innsbruck
Graz
F
BERN
FL
CH
Klagenfurt
Bolzano/
Bozen
Genève
SLO
LJUBLJANA
ZAGREB
Lyon
Trieste
HR
Milano
Bréscia
Verona
Venézia
Grenoble
Torino
Bologna
BIH
Génova
Nîmes
RSM
Montpellier
Nice
MC
Firenze
Split
Pisa
I
Marseille
Perúgia
Bastia
Pescara
Ajaccio
V
ROMA

Chemnitz - Rostock = 499km

| | Amsterdam (NL) | Basel (CH) | Berlin (D) | Bern (CH) | Bonn (D) | Bratislava (SK) | Bremen (D) | Brno (CZ) | Brussel/Bruxelles (B) | Chemnitz (D) | Dresden (D) | Erfurt (D) | Essen (D) | Frankfurt am Main (D) | Genève (CH) | Graz (A) | Hamburg (D) | Hannover (D) | Innsbruck (A) | Kiel (D) | Klagenfurt (A) | Köln (D) | Leipzig (D) | Linz (A) | Ljubljana (SLO) | Lübeck (D) | Luxembourg (L) | Lyon (F) | Milano (I) | München (D) | Nürnberg (D) | Praha (CZ) | Regensburg (D) | Rostock (D) | Salzburg (A) | Strasbourg (F) | Stuttgart (D) | Wien (A) | Zagreb (HR) |
|---|---|---|---|---|---|---|---|---|---|---|---|---|---|---|---|---|---|---|---|---|---|---|---|---|---|---|---|---|---|---|---|---|---|---|---|---|---|---|---|
| Basel (CH) | 749 | | | | | | | | | | | | | | | | | | | | | | | | | | | | | | | | | | | | | | |
| Berlin (D) | 653 | 864 | | | | | | | | | | | | | | | | | | | | | | | | | | | | | | | | | | | | | |
| Bern (CH) | 841 | 92 | 957 | | | | | | | | | | | | | | | | | | | | | | | | | | | | | | | | | | | | |
| Bonn (D) | 289 | 478 | 596 | 570 | | | | | | | | | | | | | | | | | | | | | | | | | | | | | | | | | | | |
| Bratislava (SK) | 1232 | 892 | 675 | 932 | 961 | | | | | | | | | | | | | | | | | | | | | | | | | | | | | | | | | | |
| Bremen (D) | 354 | 764 | 388 | 856 | 340 | 1151 | | | | | | | | | | | | | | | | | | | | | | | | | | | | | | | | | |
| Brno (CZ) | 1172 | 934 | 551 | 984 | 901 | 130 | 838 | | | | | | | | | | | | | | | | | | | | | | | | | | | | | | | | |
| Brussel/Bruxelles (B) | 210 | 570 | 773 | 674 | 231 | 1187 | 500 | 1127 | | | | | | | | | | | | | | | | | | | | | | | | | | | | | | | |
| Chemnitz (D) | 730 | 672 | 260 | 765 | 500 | 554 | 498 | 430 | 716 | | | | | | | | | | | | | | | | | | | | | | | | | | | | | | |
| Dresden (D) | 797 | 740 | 194 | 832 | 568 | 481 | 481 | 357 | 784 | 73 | | | | | | | | | | | | | | | | | | | | | | | | | | | | | |
| Erfurt (D) | 592 | 578 | 308 | 671 | 363 | 823 | 333 | 584 | 579 | 160 | 227 | | | | | | | | | | | | | | | | | | | | | | | | | | | | |
| Essen (D) | 209 | 554 | 525 | 647 | 94 | 1037 | 251 | 978 | 231 | 520 | 587 | 382 | | | | | | | | | | | | | | | | | | | | | | | | | | | |
| Frankfurt am Main (D) | 444 | 330 | 544 | 422 | 173 | 794 | 443 | 735 | 399 | 395 | 463 | 258 | 249 | | | | | | | | | | | | | | | | | | | | | | | | | | |
| Genève (CH) | 1004 | 255 | 1119 | 164 | 733 | 1095 | 1019 | 1146 | 722 | 928 | 995 | 833 | 809 | 585 | | | | | | | | | | | | | | | | | | | | | | | | | |
| Graz (A) | 1162 | 772 | 911 | 812 | 891 | 256 | 1081 | 322 | 1117 | 723 | 790 | 753 | 968 | 725 | 987 | | | | | | | | | | | | | | | | | | | | | | | | |
| Hamburg (D) | 466 | 817 | 289 | 909 | 452 | 1181 | 121 | 861 | 597 | 528 | 504 | 363 | 363 | 496 | 1072 | 1111 | | | | | | | | | | | | | | | | | | | | | | | |
| Hannover (D) | 375 | 671 | 281 | 763 | 317 | 1035 | 123 | 732 | 494 | 376 | 375 | 217 | 247 | 350 | 926 | 965 | 153 | | | | | | | | | | | | | | | | | | | | | | |
| Innsbruck (A) | 1001 | 371 | 750 | 411 | 730 | 550 | 920 | 602 | 956 | 562 | 629 | 592 | 807 | 564 | 574 | 430 | 950 | 804 | | | | | | | | | | | | | | | | | | | | | |
| Kiel (D) | 552 | 914 | 361 | 1006 | 538 | 1278 | 208 | 933 | 684 | 625 | 576 | 460 | 450 | 593 | 1169 | 1208 | 98 | 250 | 1047 | | | | | | | | | | | | | | | | | | | | |
| Klagenfurt (A) | 1186 | 730 | 935 | 771 | 915 | 378 | 1105 | 443 | 1141 | 746 | 814 | 777 | 991 | 748 | 852 | 132 | 1135 | 989 | 337 | 1232 | | | | | | | | | | | | | | | | | | | |
| Köln (D) | 262 | 494 | 569 | 587 | 27 | 977 | 313 | 918 | 210 | 501 | 569 | 364 | 68 | 189 | 749 | 908 | 425 | 291 | 747 | 512 | 931 | | | | | | | | | | | | | | | | | | |
| Leipzig (D) | 645 | 707 | 184 | 800 | 492 | 591 | 379 | 467 | 708 | 127 | 110 | 151 | 511 | 387 | 962 | 754 | 409 | 273 | 593 | 506 | 778 | 493 | | | | | | | | | | | | | | | | | |
| Linz (A) | 994 | 654 | 743 | 694 | 723 | 258 | 913 | 310 | 949 | 554 | 622 | 585 | 799 | 556 | 857 | 221 | 943 | 797 | 312 | 1040 | 354 | 739 | 586 | | | | | | | | | | | | | | | | |
| Ljubljana (SLO) | 1247 | 819 | 996 | 836 | 976 | 439 | 1166 | 504 | 1202 | 808 | 875 | 838 | 1053 | 810 | 808 | 193 | 1196 | 1050 | 399 | 1293 | 83 | 993 | 839 | 415 | | | | | | | | | | | | | | | |
| Lübeck (D) | 523 | 874 | 314 | 966 | 509 | 1238 | 178 | 886 | 654 | 581 | 529 | 420 | 420 | 553 | 1129 | 1168 | 65 | 210 | 1007 | 80 | 1192 | 482 | 462 | 1000 | 1253 | | | | | | | | | | | | | | |
| Luxembourg (L) | 410 | 357 | 759 | 461 | 206 | 1012 | 508 | 952 | 212 | 610 | 677 | 472 | 263 | 231 | 510 | 942 | 620 | 486 | 677 | 707 | 932 | 230 | 601 | 774 | 994 | 677 | | | | | | | | | | | | | |
| Lyon (F) | 932 | 408 | 1237 | 317 | 727 | 1248 | 1043 | 1307 | 734 | 1046 | 1113 | 951 | 798 | 703 | 153 | 1103 | 1190 | 1044 | 727 | 1287 | 968 | 751 | 1080 | 1010 | 924 | 1247 | 522 | | | | | | | | | | | | |
| Milano (I) | 1082 | 333 | 1033 | 350 | 811 | 920 | 1097 | 986 | 914 | 844 | 912 | 911 | 887 | 663 | 322 | 675 | 1150 | 1004 | 398 | 1247 | 538 | 827 | 876 | 705 | 494 | 1207 | 702 | 439 | | | | | | | | | | | |
| München (D) | 834 | 383 | 583 | 424 | 563 | 509 | 753 | 561 | 789 | 395 | 462 | 425 | 640 | 397 | 586 | 389 | 783 | 637 | 163 | 880 | 348 | 580 | 426 | 271 | 409 | 840 | 565 | 740 | 556 | | | | | | | | | | |
| Nürnberg (D) | 664 | 438 | 431 | 531 | 393 | 571 | 583 | 512 | 619 | 243 | 310 | 212 | 469 | 226 | 693 | 502 | 613 | 467 | 333 | 710 | 518 | 409 | 274 | 333 | 579 | 670 | 456 | 811 | 610 | 166 | | | | | | | | | |
| Praha (CZ) | 967 | 729 | 346 | 821 | 696 | 329 | 633 | 205 | 922 | 225 | 152 | 379 | 773 | 530 | 984 | 489 | 656 | 527 | 549 | 728 | 611 | 713 | 262 | 243 | 672 | 681 | 747 | 1102 | 941 | 382 | 307 | | | | | | | | |
| Regensburg (D) | 763 | 524 | 512 | 546 | 492 | 471 | 682 | 464 | 718 | 323 | 391 | 354 | 568 | 325 | 708 | 401 | 712 | 566 | 290 | 809 | 475 | 508 | 355 | 233 | 536 | 769 | 542 | 897 | 683 | 123 | 102 | 259 | | | | | | | |
| Rostock (D) | 645 | 996 | 232 | 1088 | 631 | 928 | 300 | 804 | 776 | 499 | 447 | 504 | 542 | 675 | 1251 | 1107 | 187 | 332 | 946 | 202 | 1131 | 604 | 380 | 939 | 1192 | 117 | 799 | 1369 | 1229 | 779 | 627 | 599 | 708 | | | | | | |
| Salzburg (A) | 977 | 522 | 726 | 562 | 706 | 372 | 896 | 423 | 932 | 538 | 605 | 568 | 783 | 540 | 725 | 258 | 926 | 780 | 180 | 1023 | 217 | 723 | 569 | 134 | 278 | 983 | 723 | 878 | 573 | 139 | 309 | 377 | 266 | 922 | | | | | |
| Strasbourg (F) | 628 | 138 | 753 | 239 | 331 | 882 | 653 | 823 | 431 | 562 | 629 | 467 | 425 | 219 | 401 | 768 | 706 | 560 | 471 | 803 | 727 | 355 | 596 | 644 | 788 | 763 | 219 | 494 | 479 | 360 | 327 | 618 | 413 | 885 | 518 | | | | |
| Stuttgart (D) | 621 | 266 | 629 | 308 | 350 | 746 | 640 | 702 | 576 | 441 | 508 | 432 | 426 | 202 | 470 | 626 | 670 | 524 | 329 | 767 | 585 | 366 | 472 | 508 | 646 | 727 | 350 | 639 | 526 | 218 | 206 | 497 | 292 | 825 | 376 | 155 | | | |
| Wien (A) | 1157 | 817 | 906 | 857 | 886 | 63 | 1076 | 127 | 1112 | 717 | 446 | 748 | 962 | 719 | 1020 | 195 | 1106 | 960 | 475 | 1203 | 317 | 902 | 749 | 183 | 378 | 1163 | 936 | 1173 | 860 | 434 | 496 | 294 | 396 | 1102 | 297 | 807 | 671 | | |
| Zagreb (HR) | 1343 | 952 | 1092 | 969 | 1072 | 429 | 1262 | 494 | 1298 | 904 | 971 | 934 | 1149 | 906 | 941 | 183 | 1292 | 1146 | 538 | 1389 | 223 | 1089 | 935 | 402 | 135 | 1349 | 1124 | 1058 | 629 | 549 | 684 | 662 | 582 | 1288 | 418 | 928 | 786 | 368 | |
| Zürich (CH) | 831 | 82 | 844 | 122 | 560 | 815 | 845 | 866 | 663 | 656 | 723 | 660 | 636 | 412 | 285 | 695 | 899 | 752 | 284 | 996 | 653 | 576 | 687 | 577 | 771 | 956 | 450 | 438 | 286 | 306 | 421 | 712 | 428 | 1040 | 445 | 228 | 219 | 740 | 904 |

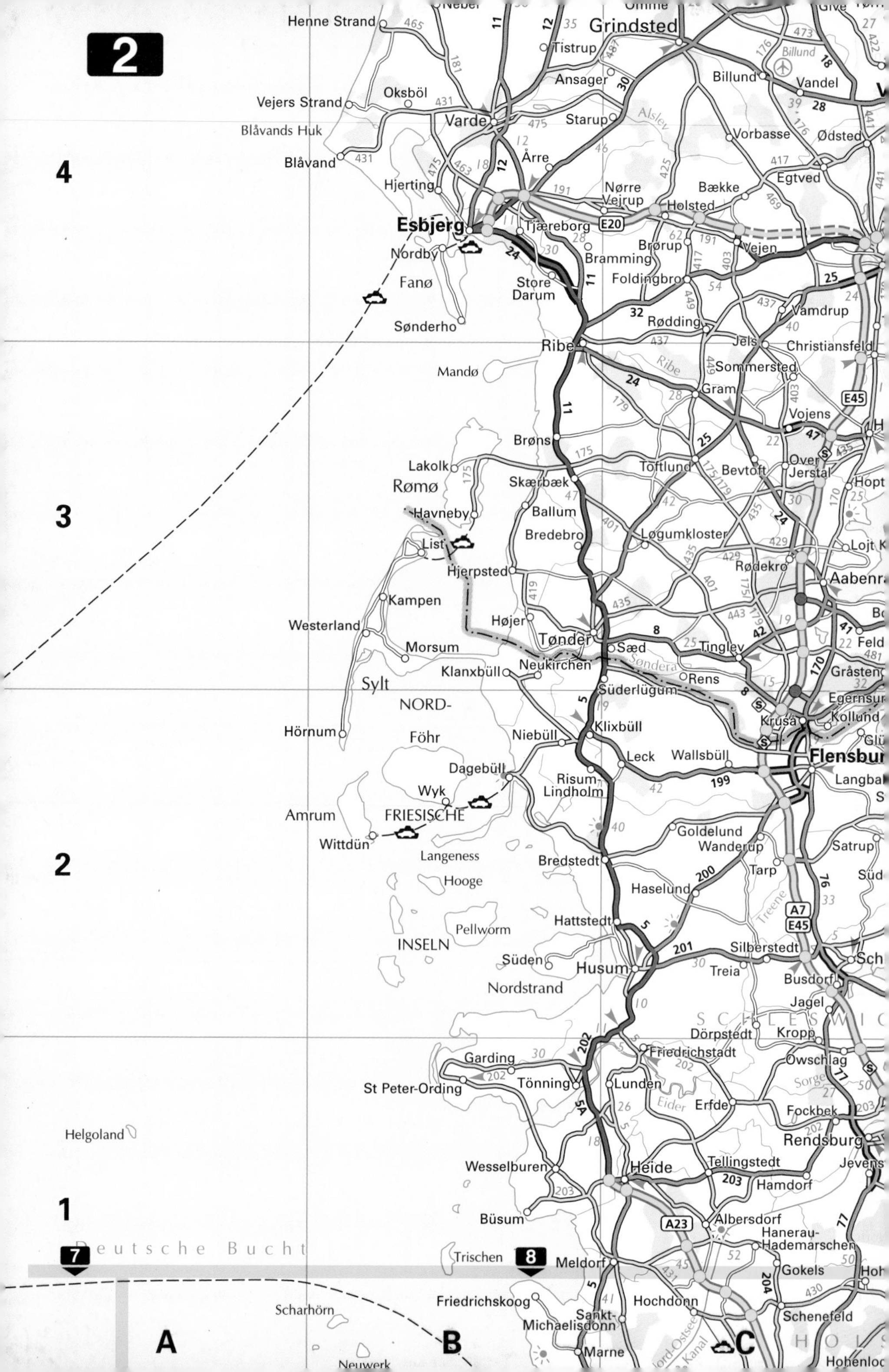
2
4
3
2
1
A
B
C
7
8
Henne Strand
Grindsted
Tistrup
Ansager
Oksböl
Vejers Strand
Blåvands Huk
Varde
Starup
Billund
Vandel
Vorbasse
Ødsted
Blåvand
Årre
Egtved
Hjerting
Nørre Vejrup
Bække
Holsted
Esbjerg
Tjæreborg
Bramming
Brørup
Vejen
Nordby
Fanø
Store Darum
Foldingbro
Sønderho
Rødding
Vamdrup
Ribe
Jels
Christiansfeld
Mandø
Sommersted
Gram
Vojens
Brøns
Lakolk
Rømø
Skærbæk
Toftlund
Bevtoft
Over Jerstal
Havneby
Ballum
Bredebro
Løgumkloster
List
Hjerpsted
Rødekro
Aabenra
Kampen
Westerland
Højer
Tønder
Sæd
Tinglev
Morsum
Klanxbüll
Neukirchen
Rens
Sylt
Süderlügum
Gråsten
NORD-
Egernsu
Hörnum
Klixbüll
Kruså
Kollund
Föhr
Niebüll
Leck
Wallsbüll
Flensbu
Dagebüll
Risum-Lindholm
Langba
Wyk
Amrum
FRIESISCHE
Wittdün
Goldelund
Wanderup
Satrup
Langeness
Bredstedt
Tarp
Hooge
Haselund
Hattstedt
Pellworm
INSELN
Silberstedt
Süden
Husum
Treia
Busdorf
Nordstrand
Jagel
SCHLESWIG
Dörpstedt
Kropp
Garding
Friedrichstadt
Owschlag
Tönning
St Peter-Ording
Lunden
Eider
Erfde
Fockbek
Helgoland
Rendsburg
Wesselburen
Heide
Tellingstedt
Hamdorf
Büsum
Albersdorf
Hanerau-Hademarschen
Deutsche Bucht
Trischen
Meldorf
Gokels
Friedrichskoog
Hochdonn
Schenefeld
Scharhörn
Sankt-Michaelisdonn
Marne
Neuwerk
Hohenloc
E20
E45
A7
A23

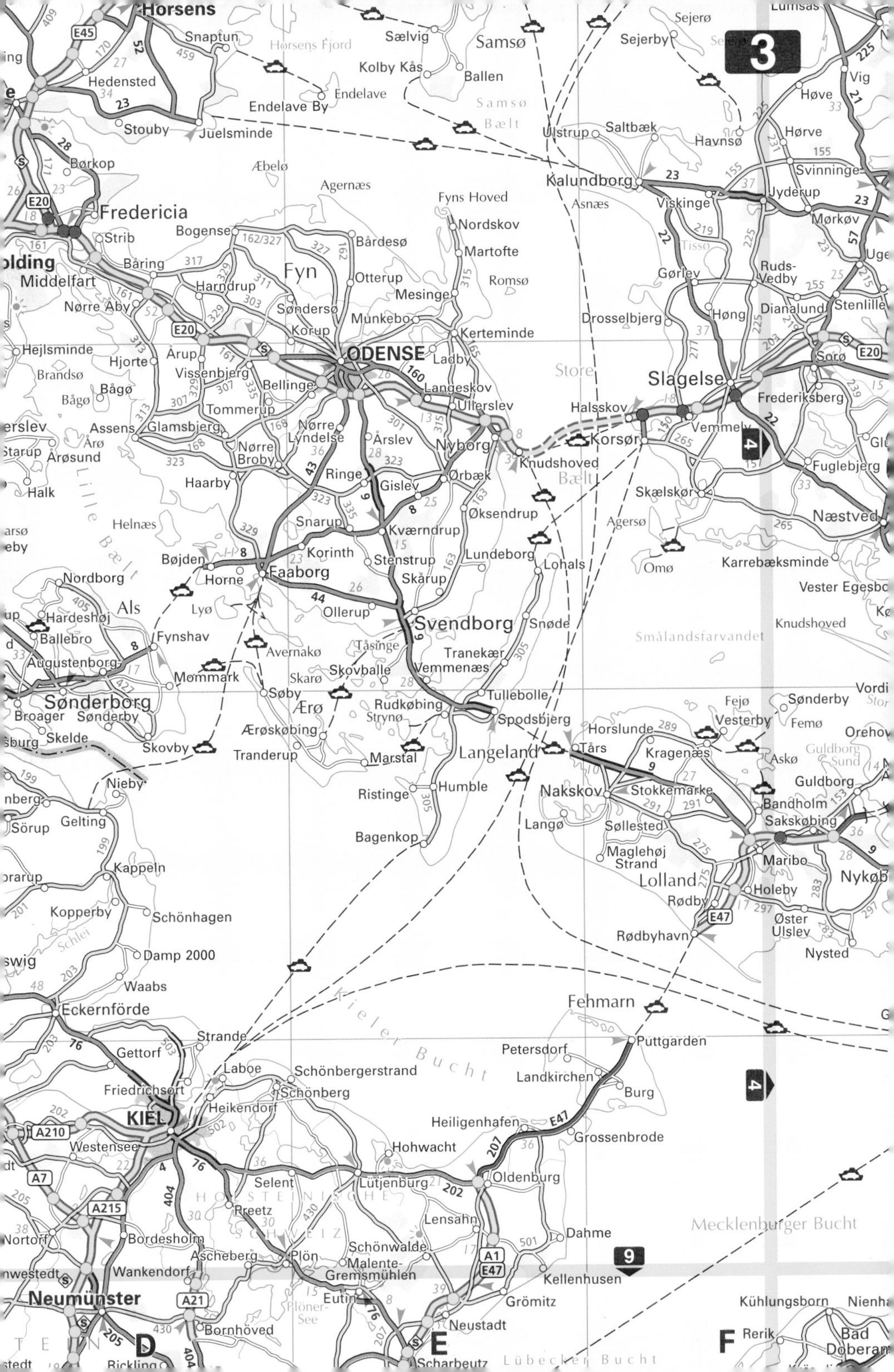

3
Horsens
Snaptun
Horsens Fjord
Sælvig
Samsø
Sejerø
Sejerby
Kolby Kås
Ballen
Hedensted
Endelave
Endelave By
Samsø Bælt
Stouby
Juelsminde
Ulstrup
Saltbæk
Havnsø
Vig
Høve
Hørve
Svinninge
Børkop
Æbelø
Agernæs
Kalundborg
Asnæs
Viskinge
Jyderup
Mørkøv
Fredericia
Fyns Hoved
Nordskov
Martofte
Bogense
Bårdesø
Strib
Tissø
Kolding
Middelfart
Båring
Fyn
Otterup
Romsø
Gørlev
Ruds-Vedby
Harndrup
Mesinge
Nørre Aby
Søndersø
Munkebo
Høng
Dianalund
Stenlille
Korup
Kerteminde
Drosselbjerg
Hejlsminde
Hjorte
Årup
ODENSE
Ladby
Sorø
Brandsø
Vissenbjerg
Store
Slagelse
Bågø
Bellinge
Langeskov
Frederiksberg
Tommerup
Ullerslev
Halsskov
Vemmelev
Assens
Glamsbjerg
Nørre Lyndelse
Årslev
Nyborg
Korsør
Årø
Starup
Årøsund
Nørre Broby
Knudshoved
Bælt
Fuglebjerg
Lille Bælt
Haarby
Ringe
Gislev
Ørbæk
Halk
Skælskør
Øksendrup
Næstved
Helnæs
Snarup
Kværndrup
Agersø
Korinth
Stenstrup
Lundeborg
Bøjden
Faaborg
Horne
Skårup
Lohals
Omø
Karrebæksminde
Nordborg
Vester Egesborg
Als
Lyø
Ollerup
Hardeshøj
Svendborg
Snødé
Knudshoved
Ballebro
Fynshav
Avernakø
Tåsinge
Smålandsfarvandet
Tranekær
Augustenborg
Mommark
Skarø
Skovballe
Vemmenæs
Søby
Tullebolle
Vordingborg
Sønderborg
Ærø
Rudkøbing
Fejø
Sønderby
Broager
Sønderby
Strynø
Spodsbjerg
Vesterby
Femø
Ærøskøbing
Horslunde
Orehoved
Skelde
Skovby
Tranderup
Marstal
Langeland
Tårs
Kragenæs
Askø
Guldborg Sund
Nieby
Ristinge
Humble
Nakskov
Stokkemarke
Guldborg
Bandholm
Gelting
Sörup
Langø
Søllested
Sakskøbing
Bagenkop
Maglehøj Strand
Maribo
Kappeln
Lolland
Nykøbing
Holeby
Rødby
Kopperby
Schönhagen
Schlei
Øster Ulslev
Rødbyhavn
Nysted
Damp 2000
Waabs
Fehmarn
Eckernförde
Kieler Bucht
Strande
Puttgarden
Petersdorf
Gettorf
Laboe
Schönbergerstrand
Landkirchen
Friedrichsort
Schönberg
Burg
Heikendorf
Heiligenhafen
KIEL
Grossenbrode
Westensee
Hohwacht
Selent
Lütjenburg
Oldenburg
Holsteinische Schweiz
Preetz
Lensahn
Mecklenburger Bucht
Nortorf
Bordesholm
Dahme
Schönwalde
Ascheberg
Plön
Malente-Gremsmühlen
Kellenhusen
Wankendorf
Neumünster
Eutin
Plöner See
Grömitz
Kühlungsborn
Bornhöved
Neustadt
Rerik
Bad Doberan
Scharbeutz
Lübecker Bucht
Rickling
D
E
F
4
9
E45
E20
E47
A1
A7
A21
A210
A215

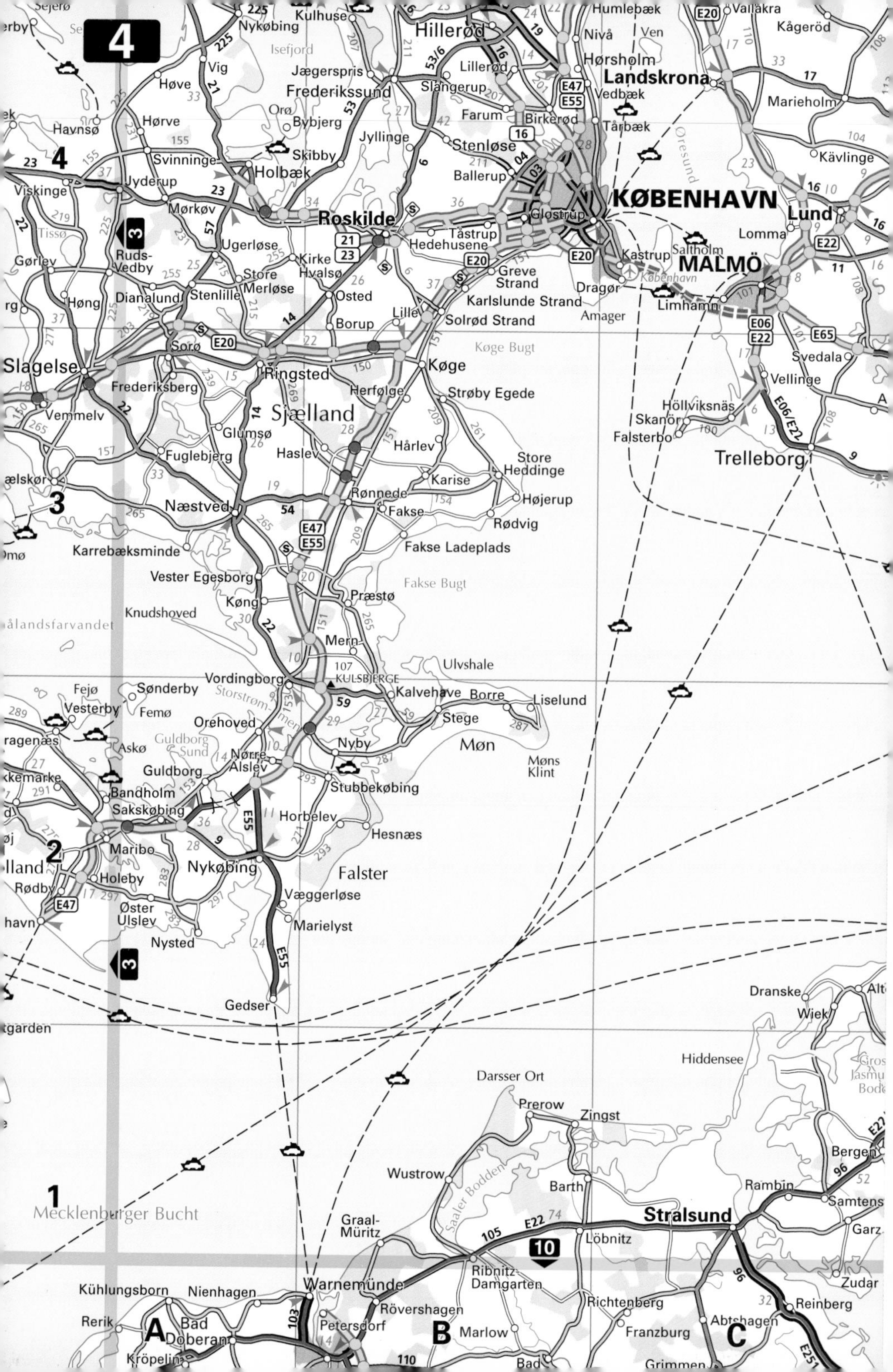
4
Hillerød
Humlebæk
Nivå
Hørsholm
Landskrona
Vedbæk
Tårbæk
Kågeröd
Marieholm
Kävlinge
Nykøbing
Kulhuse
Isefjord
Vig
Høve
Jægerspris
Frederikssund
Lillerød
Slangerup
Farum
Birkerød
Orø
Bybjerg
Hørve
Havnsø
Jyllinge
Stenløse
Ballerup
Skibby
Svinninge
Holbæk
Jyderup
Viskinge
Mørkøv
Roskilde
Glostrup
Tåstrup
Hedehusene
KØBENHAVN
Lund
Lomma
Saltholm
MALMÖ
Kastrup
Dragør
Limhamn
Amager
Tissø
Gørlev
Ruds-Vedby
Ugerløse
Kirke Hvalsø
Store Merløse
Stenlille
Dianalund
Høng
Osted
Greve Strand
Karlslunde Strand
Solrød Strand
Lille
Borup
Slagelse
Sorø
Ringsted
Køge
Køge Bugt
Svedala
Vellinge
Frederiksberg
Herfølge
Strøby Egede
Höllviksnäs
Skanör
Falsterbo
Trelleborg
Vemmelv
Sjælland
Glumsø
Haslev
Hårlev
Fuglebjerg
Store Heddinge
Karise
Rønnede
Fakse
Højerup
Rødvig
Næstved
Fakse Ladeplads
Karrebæksminde
Vester Egesborg
Fakse Bugt
Præstø
Køng
Knudshoved
Mern
Ulvshale
Vordingborg
107 KULSBJERGE
Kalvehave
Borre
Liselund
Fejø
Sønderby
Vesterby
Femø
Storstrøm
Stege
Orehoved
Askø
Guldborg Sund
Nyby
Møn
Møns Klint
Nørre Alslev
Guldborg
Bandholm
Sakskøbing
Stubbekøbing
Horbelev
Hesnæs
Maribo
Nykøbing
Falster
Holeby
Rødby
Øster Ulslev
Væggerløse
Marielyst
Nysted
Gedser
Dranske
Wiek
Hiddensee
Darsser Ort
Prerow
Zingst
Bergen
Wustrow
Barth
Rambin
Samtens
Mecklenburger Bucht
Graal-Müritz
Stralsund
Löbnitz
Garz
Ribnitz-Damgarten
Zudar
Kühlungsborn
Nienhagen
Warnemünde
Richtenberg
Reinberg
Rerik
Bad Doberan
Rövershagen
Petersdorf
Marlow
Franzburg
Abtshagen
Kröpelin
Bad
Grimmen
A
B
C
1
2
3
10

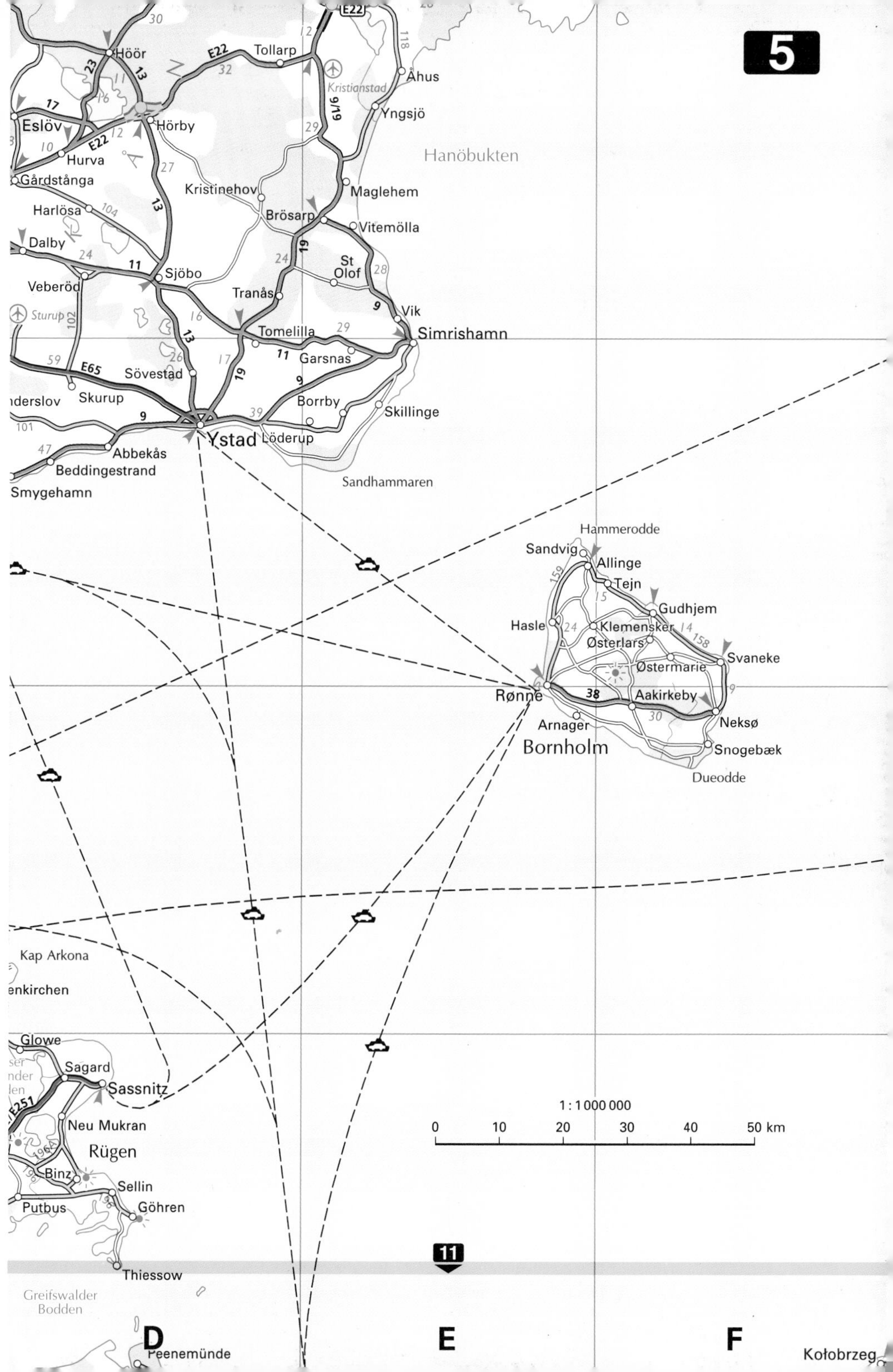
Höör
Tollarp
Åhus
Kristianstad
Yngsjö
Eslöv
Hörby
Hurva
Hanöbukten
Gårdstånga
Kristinehov
Maglehem
Harlösa
Brösarp
Vitemölla
Dalby
St Olof
Sjöbo
Veberöd
Tranås
Vik
Sturup
Tomelilla
Simrishamn
Garsnas
Sövestad
Skurup
Borrby
Skillinge
Ystad
Löderup
Abbekås
Beddingestrand
Smygehamn
Sandhammaren
Hammerodde
Sandvig
Allinge
Tejn
Gudhjem
Hasle
Klemensker
Østerlars
Svaneke
Østermarie
Rønne
Aakirkeby
Neksø
Arnager
Bornholm
Snogebæk
Dueodde
Kap Arkona
Glowe
Sagard
Sassnitz
Neu Mukran
Rügen
Binz
Sellin
Putbus
Göhren
Thiessow
Greifswalder Bodden
Peenemünde
Kołobrzeg
1:1 000 000
0 10 20 30 40 50 km
D
E
F

11

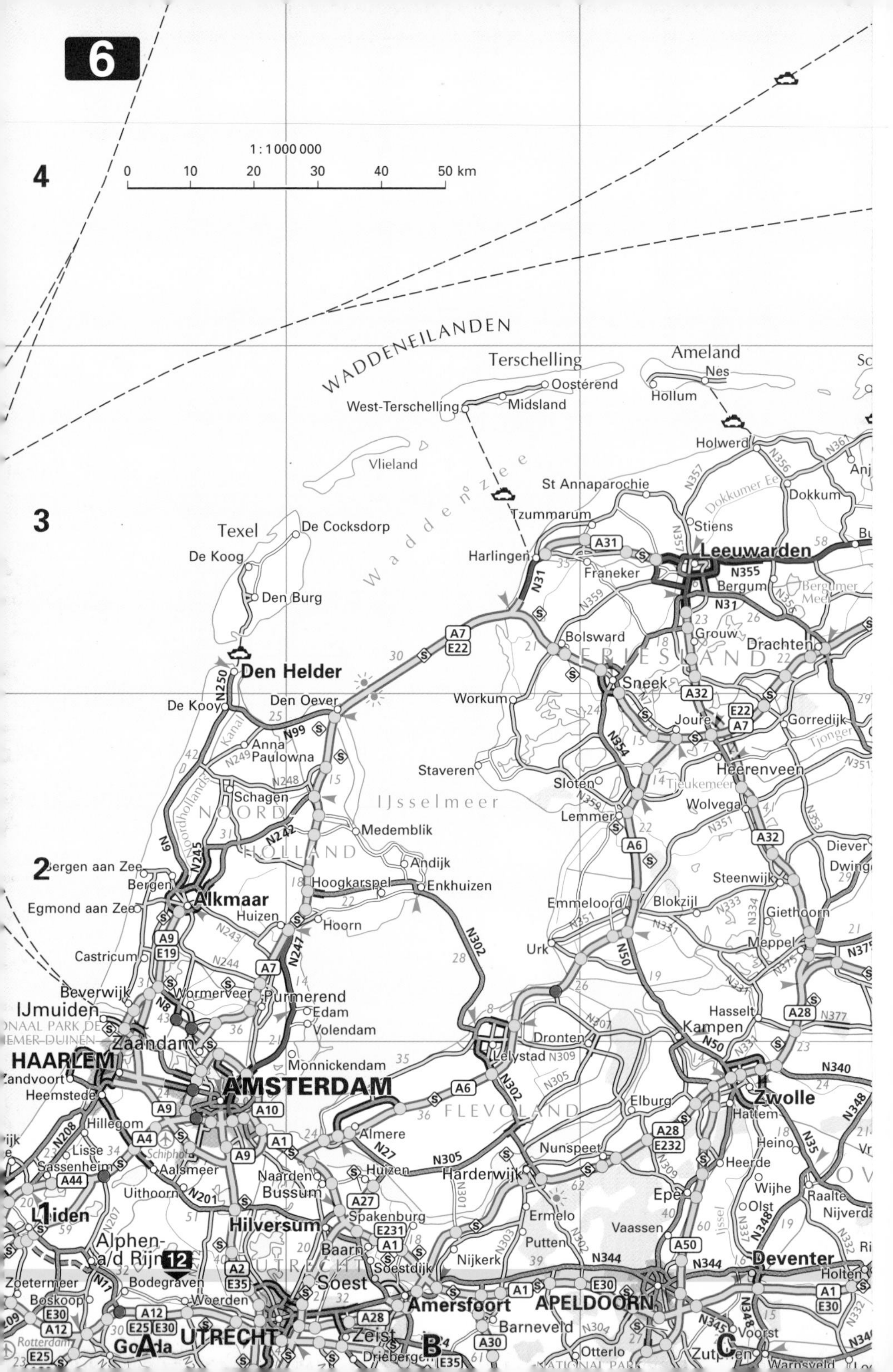
6
4
3
2
1
A
B
C
1:1 000 000
0 10 20 30 40 50 km
WADDENEILANDEN
Terschelling
Ameland
West-Terschelling
Oostérend
Midsland
Nes
Hollum
Vlieland
Waddenzee
Holwerd
St Annaparochie
Dokkum
Tzummarum
Stiens
Texel
De Cocksdorp
De Koog
Den Burg
Harlingen
Leeuwarden
Franeker
Bergum
Den Helder
Bolsward
FRIESLAND
Drachten
Grouw
Sneek
De Kooy
Den Oever
Workum
Joure
Gorredijk
Anna Paulowna
Staveren
Heerenveen
Schagen
Sloten
Tjeukemeer
IJsselmeer
NOORD HOLLAND
Lemmer
Wolvega
Medemblik
Andijk
Diever
Bergen aan Zee
Bergen
Hoogkarspel
Enkhuizen
Steenwijk
Alkmaar
Emmeloord
Blokzijl
Egmond aan Zee
Huizen
Hoorn
Giethoorn
Castricum
Urk
Meppel
Beverwijk
Wormerveer
Purmerend
IJmuiden
Edam
Volendam
Hasselt
Kampen
Zaandam
Dronten
HAARLEM
Monnickendam
Lelystad
Zandvoort
AMSTERDAM
Zwolle
Heemstede
FLEVOLAND
Elburg
Hattem
Hillegom
Almere
Lisse
Schiphol
Nunspeet
Heino
Sassenheim
Aalsmeer
Naarden
Huizen
Harderwijk
Heerde
Bussum
Uithoorn
Epe
Wijhe
Raalte
Leiden
Olst
Nijverdal
Hilversum
Spakenburg
Ermelo
Alphen-a/d Rijn
Vaassen
Putten
Baarn
Deventer
Nijkerk
Soestdijk
Holten
Zoetermeer
Bodegraven
Soest
Boskoop
Woerden
Amersfoort
APELDOORN
Barneveld
Voorst
Gouda
UTRECHT
Zeist
Driebergen
Otterlo
Zutphen
Warnsveld
Rotterdam
Kanaal
Noordhollands Kanaal
Dokkumer Ee
Bergumer Meer
Tjonger
IJssel
UTRECHT
A7 E22 A31 N31 N355 A32 E22 A7 N354 N359 N99 N250 N249 N248 N242 N245 N9 A6 N351 N353 A9 E19 N243 N244 A7 N247 N302 N50 N333 N334 N331 N375 A28 N377 N340 N307 N309 N305 N302 A6 A9 A10 A4 A1 N27 N305 N208 A44 N201 N207 A27 E231 A1 A28 E232 N309 N35 N348 A50 N344 A2 E35 N11 A12 E25 E30 A28 A30 E35 A1 E30 N304 N345 N348 N332 N356 N357 N361 N303 N301 N337

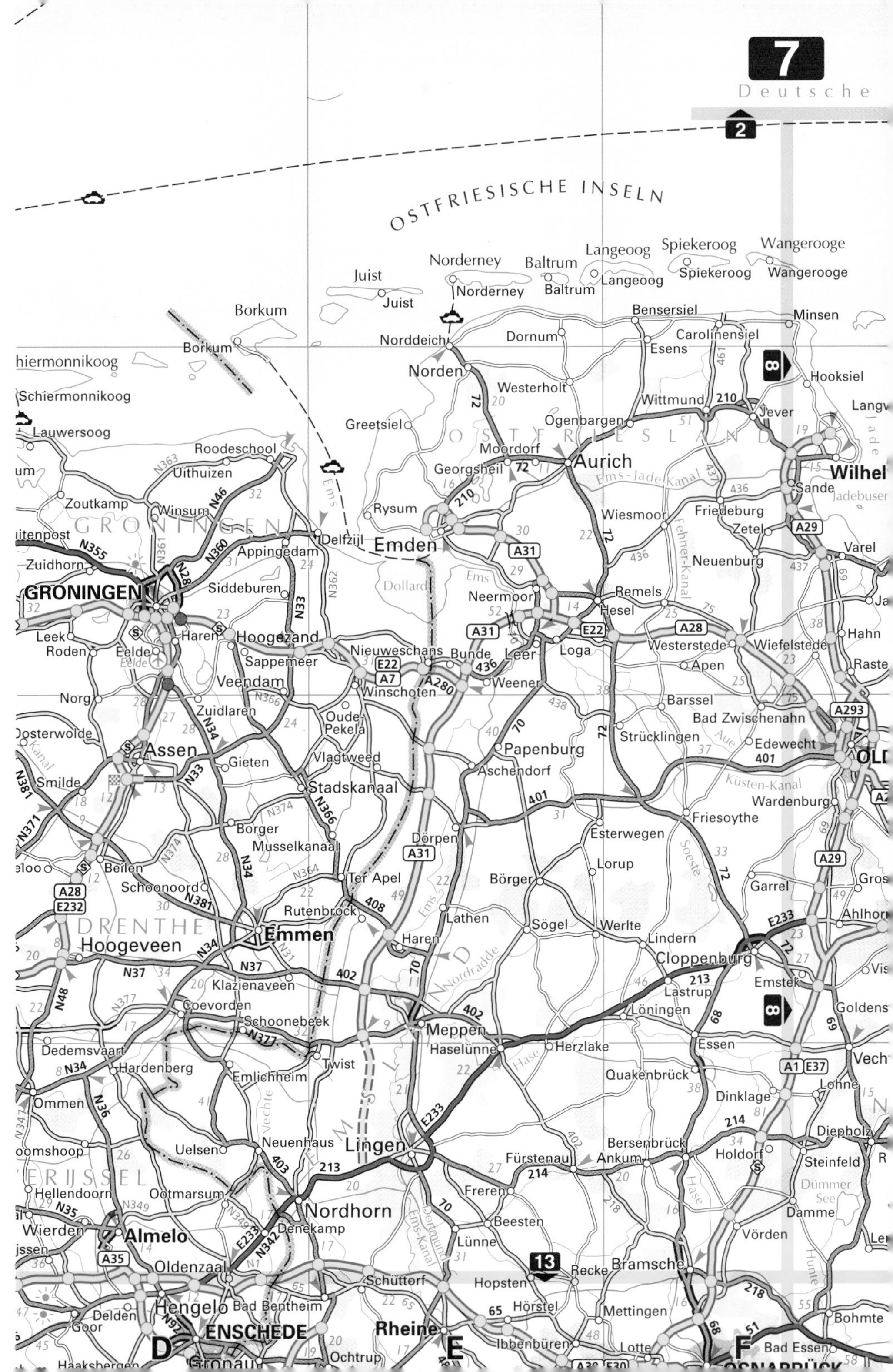
2
OSTFRIESISCHE INSELN
Borkum
Juist
Norderney
Baltrum
Langeoog
Spiekeroog
Wangerooge
Schiermonnikoog
Lauwersoog
Bensersiel
Minsen
Carolinensiel
Esens
Dornum
Norddeich
Norden
Westerholt
Hooksiel
Wittmund
Jever
Greetsiel
Ogenbargen
OSTFRIESLAND
Moordorf
Aurich
Georgsheil
Ems-Jade-Kanal
Sande
Jadebusen
Roodeschool
Uithuizen
Zoutkamp
Winsum
GRONINGEN
Rysum
Wiesmoor
Friedeburg
Zetel
Varel
Delfzijl
Emden
Appingedam
Zuidhorn
Neuenburg
Fehnter-Kanal
Dollard
Ems
Neermoor
Remels
Hesel
Siddeburen
Leek
Haren
Hoogezand
Loga
Leer
Westerstede
Wiefelstede
Hahn
Roden
Eelde
Sappemeer
Nieuweschans
Bunde
Apen
Veendam
Weener
Winschoten
Norg
Barssel
Bad Zwischenahn
Zuidlaren
Oude-Pekela
Strücklingen
Edewecht
Oosterwolde
Assen
Papenburg
Gieten
Vlagtweed
Aschendorf
Smilde
Stadskanaal
Küsten-Kanal
Wardenburg
Friesoythe
Borger
Esterwegen
Musselkanaal
Dörpen
Soeste
Beilen
Lorup
Ter Apel
Börger
Garrel
Schoonoord
Rutenbrock
Ahlhorn
DRENTHE
Lathen
Sögel
Werlte
Lindern
Emmen
Hoogeveen
Haren
Cloppenburg
Nordradde
Emstek
Klazienaveen
Lastrup
Coevorden
Löningen
Schoonebeek
Meppen
Goldens
Haselünne
Herzlake
Essen
Dedemsvaart
Hase
Hardenberg
Twist
Quakenbrück
Ommen
Emlichheim
Dinklage
Lohne
Vechte
Diepholz
Neuenhaus
Lingen
Bersenbrück
Uelsen
EMSLAND
Fürstenau
Ankum
Holdorf
Steinfeld
OVERIJSSEL
Hellendoorn
Ootmarsum
Freren
Dümmer See
Nordhorn
Damme
Wierden
Almelo
Denekamp
Beesten
Dortmund-Ems-Kanal
Vörden
Lünne
Oldenzaal
13
Recke
Bramsche
Hunte
Schüttorf
Hopsten
Hengelo
Bad Bentheim
Delden
Goor
Hörstel
Mettingen
Bohmte
ENSCHEDE
Rheine
Ibbenbüren
Lotte
Bad Essen
Ochtrup
Haaksbergen
Gronau
D
E
F
8

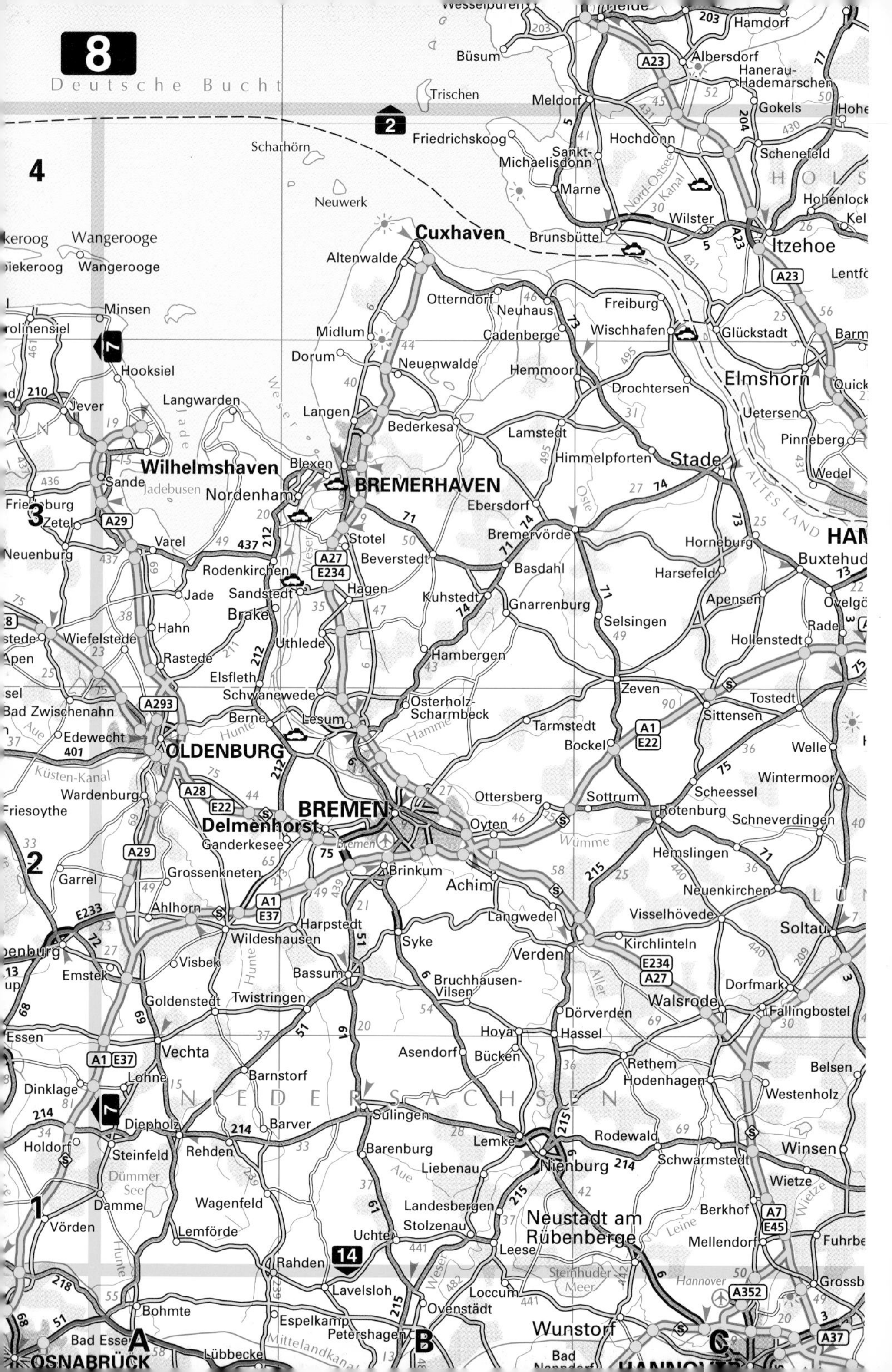
8
Deutsche Bucht
4
3
2
1
A
B
C
2
7
14
Büsum
Trischen
Meldorf
Albersdorf
Hanerau-Hademarschen
Hamdorf
Gokels
Friedrichskoog
Scharhörn
Neuwerk
Hochdonn
Sankt-Michaelisdonn
Marne
Schenefeld
Nord-Ostsee-Kanal
Wilster
Itzehoe
Brunsbüttel
Cuxhaven
Altenwalde
Wangerooge
Otterndorf
Neuhaus
Freiburg
Glückstadt
Cadenberge
Wischhafen
Minsen
Midlum
Dorum
Neuenwalde
Hemmoor
Drochtersen
Elmshorn
Hooksiel
Uetersen
Langwarden
Langen
Bederkesa
Lamstedt
Pinneberg
Jever
Himmelpforten
Stade
Wedel
Wilhelmshaven
Blexen
Sande
Jadebusen
Nordenham
BREMERHAVEN
Ebersdorf
Altes Land
Zetel
Varel
Stotel
Beverstedt
Bremervörde
Horneburg
Buxtehude
Neuenburg
Rodenkirchen
Basdahl
Harsefeld
Jade
Sandstedt
Hagen
Kuhstedt
Gnarrenburg
Apensen
Brake
Hahn
Selsingen
Wiefelstede
Uthlede
Hollenstedt
Apen
Rastede
Hambergen
Elsfleth
Zeven
Tostedt
Bad Zwischenahn
Schwanewede
Osterholz-Scharmbeck
Sittensen
Berne
Lesum
Tarmstedt
Edewecht
OLDENBURG
Bockel
Welle
Küsten-Kanal
Ottersberg
Sottrum
Scheessel
Wintermoor
Wardenburg
BREMEN
Rotenburg
Schneverdingen
Friesoythe
Delmenhorst
Oyten
Ganderkesee
Wümme
Hemslingen
Brinkum
Achim
Garrel
Grossenkneten
Neuenkirchen
Ahlhorn
Harpstedt
Langwedel
Visselhövede
Soltau
Wildeshausen
Syke
Kirchlinteln
Visbek
Verden
Emstek
Bassum
Bruchhausen-Vilsen
Walsrode
Dorfmark
Goldenstedt
Twistringen
Dörverden
Fallingbostel
Essen
Hoya
Hassel
Vechta
Asendorf
Bücken
Rethem
Belsen
Lohne
Barnstorf
Hodenhagen
Dinklage
Westenholz
NIEDERSACHSEN
Sulingen
Diepholz
Barver
Lemke
Rodewald
Holdorf
Steinfeld
Rehden
Barenburg
Nienburg
Schwarmstedt
Winsen
Dümmer See
Liebenau
Wietze
Damme
Wagenfeld
Landesbergen
Neustadt am Rübenberge
Berkhof
Vörden
Lemförde
Stolzenau
Uchte
Mellendorf
Leese
Rahden
Steinhuder Meer
Hannover
Lavelsloh
Loccum
Grossburgwedel
Bohmte
Ovenstädt
Espelkamp
Wunstorf
Bad Essen
Petershagen
Mittellandkanal
OSNABRÜCK
Lübbecke
A23
A27
E234
A1
E22
A29
A293
A28
E37
E233
A7
E45
A352
A37

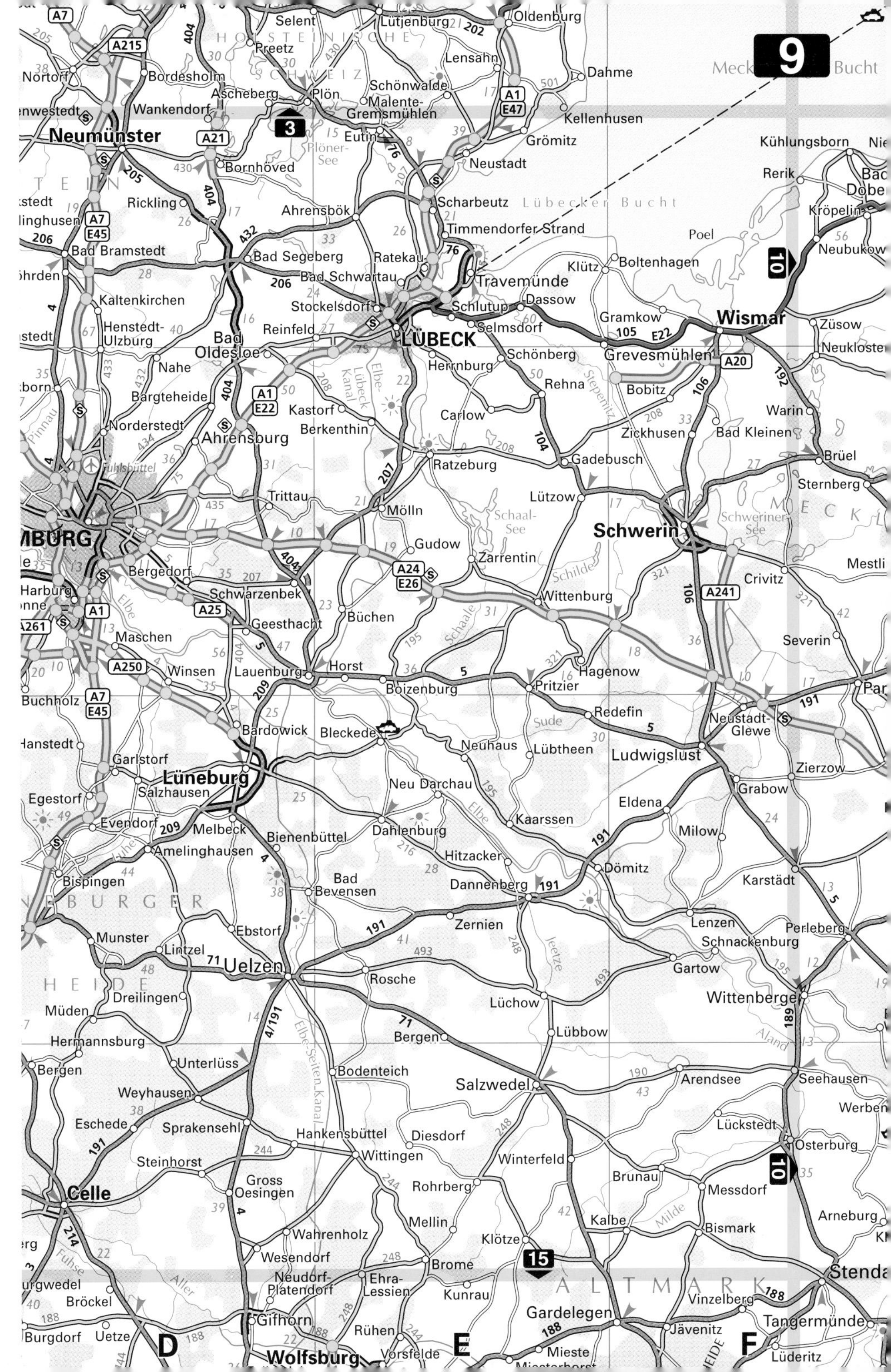
9
10
3
15
Mecklenburger Bucht
Lübecker Bucht
Holsteinische Schweiz
Oldenburg
Selent
Lütjenburg
Preetz
Lensahn
Dahme
Nortorf
Bordesholm
Schönwalde
Ascheberg
Plön
Malente-Gremsmühlen
Kellenhusen
Wankendorf
Neumünster
Eutin
Grömitz
Plöner-See
Bornhöved
Neustadt
Kühlungsborn
Rerik
Rickling
Ahrensbök
Scharbeutz
Kröpelin
Timmendorfer Strand
Poel
Neubukow
Bad Bramstedt
Bad Segeberg
Ratekau
Klütz
Boltenhagen
Bad Schwartau
Travemünde
Kaltenkirchen
Stockelsdorf
Schlutup
Dassow
Gramkow
Wismar
Henstedt-Ulzburg
Reinfeld
Selmsdorf
Züsow
Bad Oldesloe
LÜBECK
Schönberg
Grevesmühlen
Neukloster
Nahe
Herrnburg
Rehna
Bobitz
Bargteheide
Kastorf
Carlow
Warin
Norderstedt
Berkenthin
Zickhusen
Bad Kleinen
Ahrensburg
Ratzeburg
Gadebusch
Brüel
Fuhlsbüttel
Sternberg
Trittau
Lützow
Mölln
Schaal-See
Schwerin
Schweriner See
HAMBURG
Gudow
Zarrentin
Mestlin
Bergedorf
Crivitz
Harburg
Schwarzenbek
Wittenburg
Geesthacht
Büchen
Severin
Maschen
Hagenow
Winsen
Lauenburg
Horst
Boizenburg
Pritzier
Buchholz
Parchim
Redefin
Neustadt-Glewe
Bardowick
Bleckede
Neuhaus
Lübtheen
Hanstedt
Ludwigslust
Garlstorf
Lüneburg
Zierzow
Salzhausen
Neu Darchau
Grabow
Egestorf
Eldena
Evendorf
Melbeck
Kaarssen
Amelinghausen
Bienenbüttel
Dahlenburg
Milow
Hitzacker
Bispingen
Dömitz
Bad Bevensen
Dannenberg
Karstädt
Lüneburger Heide
Zernien
Lenzen
Ebstorf
Munster
Perleberg
Schnackenburg
Lintzel
Uelzen
Gartow
Rosche
Dreilingen
Lüchow
Wittenberge
Müden
Lübbow
Hermannsburg
Bergen
Unterlüss
Bodenteich
Salzwedel
Arendsee
Seehausen
Weyhausen
Werben
Eschede
Sprakensehl
Lückstedt
Hankensbüttel
Diesdorf
Osterburg
Steinhorst
Wittingen
Winterfeld
Gross Oesingen
Brunau
Messdorf
Celle
Rohrberg
Arneburg
Mellin
Kalbe
Bismark
Wahrenholz
Klötze
Wesendorf
Brome
Stendal
Neudorf-Platendorf
Ehra-Lessien
Altmark
Burgwedel
Kunrau
Bröckel
Vinzelberg
Gifhorn
Gardelegen
Tangermünde
Burgdorf
Uetze
Rühen
Jävenitz
Wolfsburg
Vorsfelde
Mieste
Lüderitz
D
E
F
Elbe
Elbe-Lübeck Kanal
Elbe-Seiten-Kanal
Stepenitz
Schaale
Schilde
Sude
Jeetze
Milde
Aland
Aller
Fuhse
Ilmenau
Pinnau
A1
A7
A20
A21
A24
A25
A215
A241
A250
A261
E22
E26
E45
E47

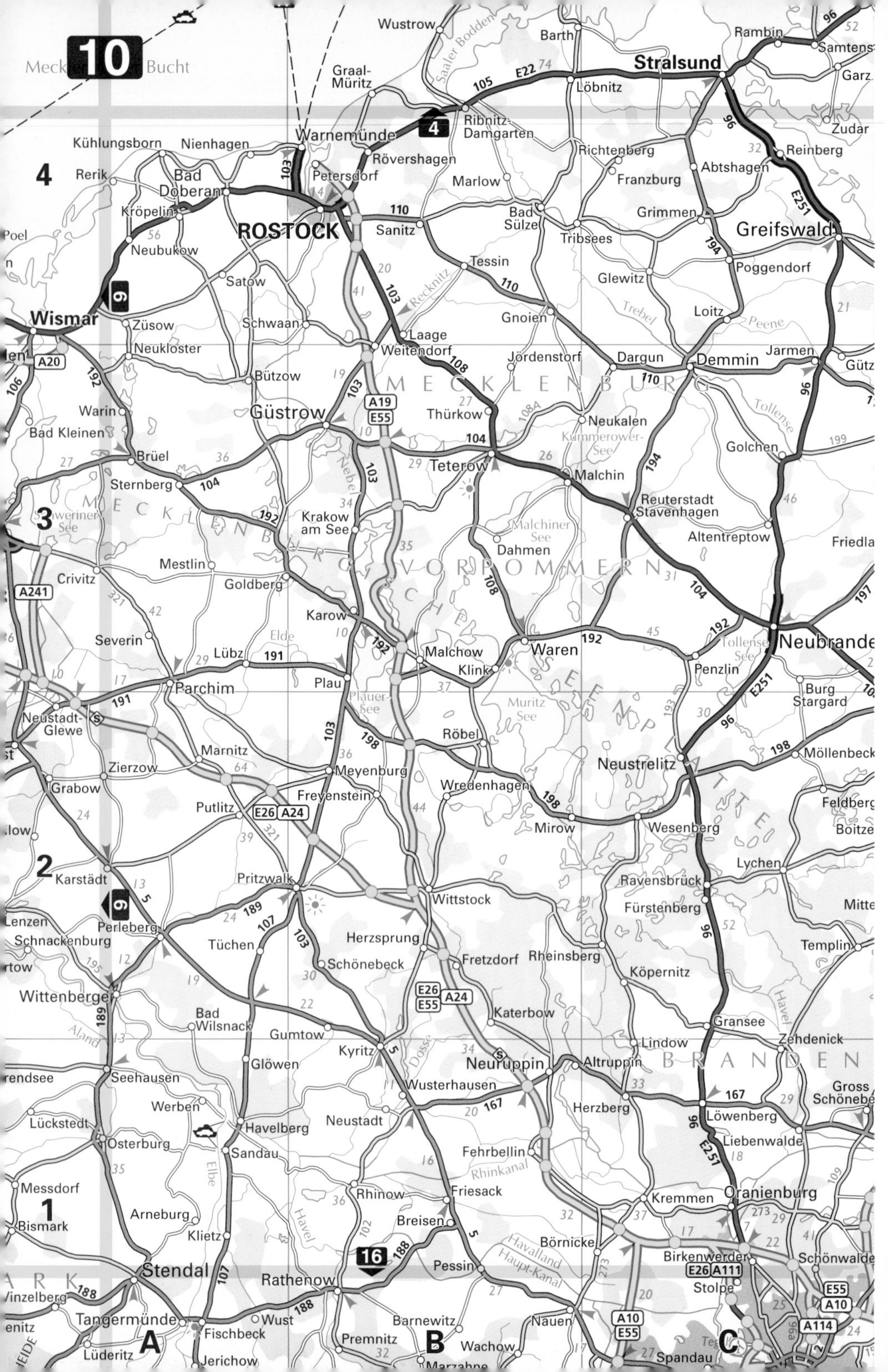
10
Meck
Bucht
4
3
2
1
A
B
C
Wustrow
Barth
Saaler Bodden
Rambin
Samtens
Stralsund
Garz
Graal-Müritz
Löbnitz
Ribnitz-Damgarten
Zudar
Reinberg
Kühlungsborn
Nienhagen
Warnemünde
Rövershagen
Richtenberg
Franzburg
Abtshagen
Rerik
Bad Doberan
Petersdorf
Marlow
Kröpelin
ROSTOCK
Sanitz
Bad Sülze
Tribsees
Grimmen
Greifswald
Poel
Neubukow
Tessin
Poggendorf
Glewitz
Satow
Recknitz
Trebel
Loitz
Peene
Wismar
Züsow
Schwaan
Laage
Gnoien
Weitendorf
Jördenstorf
Dargun
Demmin
Jarmen
Gütz
Neukloster
Bützow
MECKLENBURG
Tollense
Warin
Güstrow
Thürkow
Neukalen
Bad Kleinen
Kummerower-See
Golchen
Brüel
Teterow
Malchin
Sternberg
Reuterstadt Stavenhagen
Schweriner See
Krakow am See
Malchiner See
Dahmen
Altentreptow
Friedla
Mestlin
VORPOMMERN
Crivitz
Goldberg
Karow
Severin
Lübz
Elde
Malchow
Waren
Neubrande
Klink
Penzlin
Tollense-See
Parchim
Plau
Plauer-See
Müritz See
Burg Stargard
Neustadt-Glewe
Röbel
Marnitz
Neustrelitz
Möllenbeck
Zierzow
Meyenburg
Wredenhagen
Grabow
Freyenstein
Feldberg
Putlitz
Mirow
Wesenberg
Boitze
Lychen
Karstädt
Pritzwalk
Ravensbrück
Wittstock
Fürstenberg
Mitte
Lenzen
Perleberg
Tüchen
Herzsprung
Rheinsberg
Templin
Schnackenburg
Schönebeck
Fretzdorf
Köpernitz
Wittenberge
Katerbow
Havel
Bad Wilsnack
Gumtow
Gransee
Zehdenick
Aland
Lindow
Kyritz
Dosse
Neuruppin
Altruppin
BRANDEN
Glöwen
Seehausen
Wusterhausen
Gross Schönebe
Werben
Herzberg
Löwenberg
Lückstedt
Havelberg
Neustadt
Osterburg
Liebenwalde
Sandau
Fehrbellin
Elbe
Rhinkanal
Messdorf
Friesack
Rhinow
Oranienburg
Kremmen
Breisen
Bismark
Arneburg
Klietz
Börnicke
Havalland Haupt-Kanal
Birkenwerder
Schönwalde
Stendal
Rathenow
Pessin
Stolpe
ARK
Winzelberg
Tangermünde
Wust
Barnewitz
Nauen
Fischbeck
Premnitz
Lüderitz
Wachow
Jerichow
Spandau
Marzahne
HEIDE
A20
A19
E55
A241
E26
A24
A10
A111
A114
E251
E22
103
104
105
108
110
191
192
194
198
188
189
107
167
96
16
9

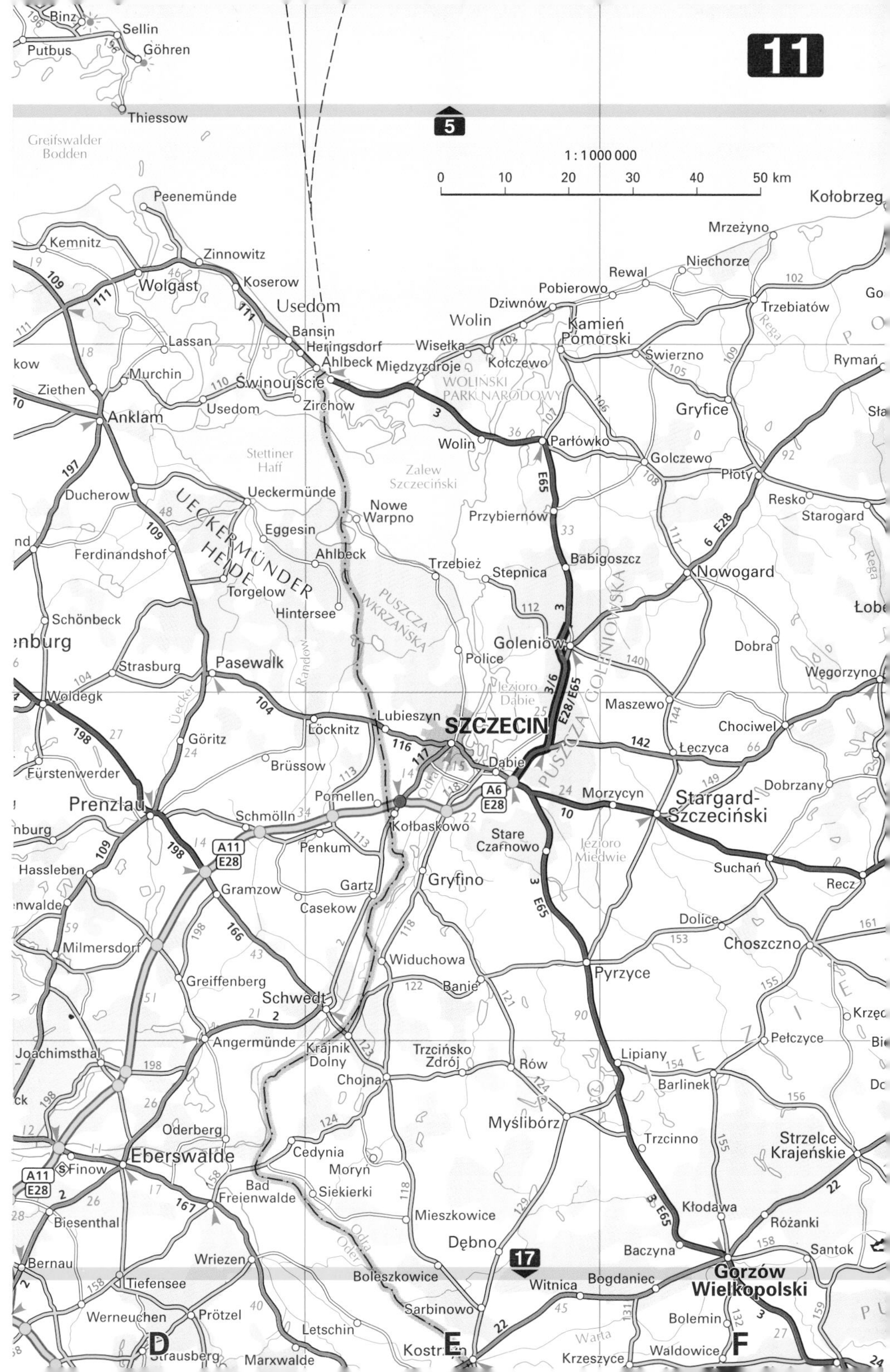
5
1 : 1 000 000
0 10 20 30 40 50 km
Binz
Sellin
Putbus
Göhren
Thiessow
Greifswalder Bodden
Peenemünde
Kemnitz
Zinnowitz
Wolgast
Koserow
Usedom
Bansin
Heringsdorf
Ahlbeck
Lassan
Murchin
Ziethen
Anklam
Świnoujście
Usedom
Zirchow
Stettiner Haff
Zalew Szczeciński
Ducherow
Ueckermünde
UECKERMÜNDER HEIDE
Eggesin
Nowe Warpno
Ferdinandshof
Ahlbeck
Torgelow
Hintersee
PUSZCZA WKRZAŃSKA
Schönbeck
Strasburg
Pasewalk
Woldegk
Göritz
Löcknitz
Lubieszyn
Fürstenwerder
Brüssow
Prenzlau
Schmölln
Pomellen
Kołbaskowo
Penkum
Hassleben
Gramzow
Gartz
Casekow
Milmersdorf
Greiffenberg
Schwedt
Angermünde
Joachimsthal
Krajnik Dolny
Chojna
Oderberg
Eberswalde
Finow
Cedynia
Moryń
Siekierki
Bad Freienwalde
Biesenthal
Bernau
Wriezen
Tiefensee
Werneuchen
Prötzel
Letschin
Strausberg
Marxwalde
Kostrzyn
D
E
F
Wolin
Dziwnów
Wisełka
Międzyzdroje
WOLIŃSKI PARK NARODOWY
Kołczewo
Wolin
Pobierowo
Kamień Pomorski
Parłówko
Rewal
Niechorze
Mrzeżyno
Kołobrzeg
Trzebiatów
Świerzno
Gryfice
Rymań
Golczewo
Płoty
Resko
Starogard
Przybiernów
Trzebież
Stepnica
Babigoszcz
Nowogard
PUSZCZA GOLENIOWSKA
Goleniów
Police
Dobra
Węgorzyno
Łobez
Jezioro Dąbie
SZCZECIN
Dąbie
Maszewo
Chociwel
Łęczyca
Dobrzany
Morzycyn
Stargard-Szczeciński
Stare Czarnowo
Jezioro Miedwie
Gryfino
Suchań
Recz
Dolice
Choszczno
Widuchowa
Banie
Pyrzyce
Pełczyce
Trzcińsko Zdrój
Rów
Lipiany
Barlinek
Myślibórz
Trzcinno
Strzelce Krajeńskie
Mieszkowice
Dębno
Kłodawa
Różanki
Baczyna
Santok
17
Boleszkowice
Witnica
Bogdaniec
Gorzów Wielkopolski
Sarbinowo
Bolemin
Krzeszyce
Waldowice
Odra
Oder
Warta
Randow
Uecker
Rega
A6 E28
A11 E28
E65
E28/E65
3/6
E28

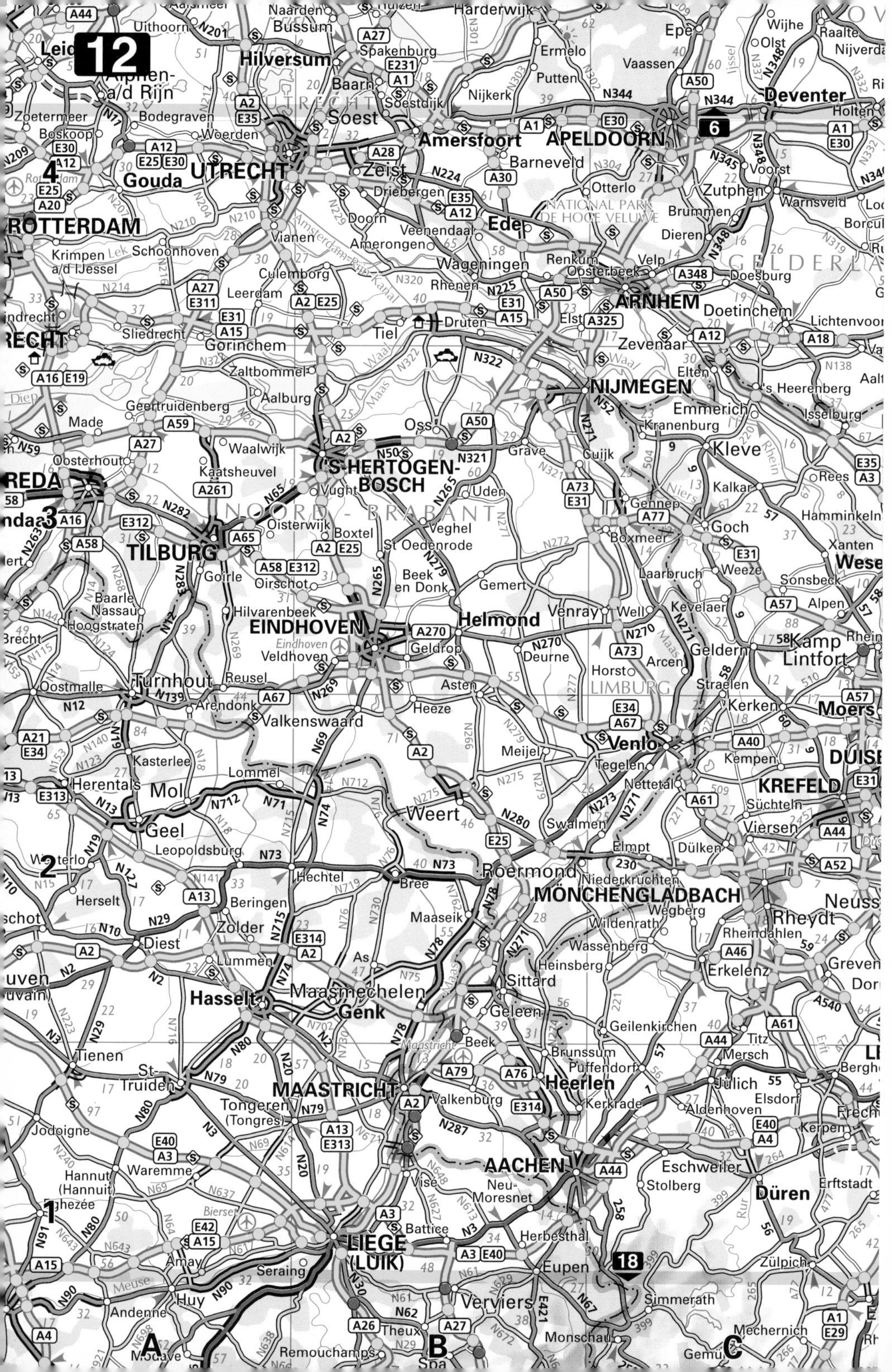

12
Uithoorn
Naarden
Bussum
Harderwijk
Epe
Wijhe
Raalte
Olst
Nijverdal
Hilversum
Spakenburg
Ermelo
Vaassen
Alphen a/d Rijn
Baarn
Putten
Soestdijk
Nijkerk
Deventer
Holten
Zoetermeer
Bodegraven
UTRECHT
Soest
Boskoop
Woerden
Amersfoort
APELDOORN
Gouda
Zeist
Barneveld
Voorst
Driebergen
Otterlo
Zutphen
Warnsveld
ROTTERDAM
Doorn
NATIONAL PARK DE HOGE VELUWE
Brummen
Vianen
Veenendaal
Ede
Dieren
Krimpen a/d IJssel
Schoonhoven
Amerongen
Amsterdam-Rijn Kanaal
Culemborg
Wageningen
Renkum
Oosterbeek
Velp
GELDERLAND
Rhenen
Doesburg
Leerdam
ARNHEM
Doetinchem
Elst
Sliedrecht
Tiel
Druten
Lichtenvoorde
Gorinchem
Zevenaar
Zaltbommel
Waal
Maas
Elten
NIJMEGEN
's Heerenberg
Aalburg
Geertruidenberg
Emmerich
Isselburg
Made
Oss
Kranenburg
Waalwijk
Grave
Cuijk
Kleve
Oosterhout
Kaatsheuvel
'S-HERTOGENBOSCH
Rhein
Rees
Vught
Uden
Kalkar
Niers
Gennep
Hamminkeln
NOORD-BRABANT
Veghel
Goch
Oisterwijk
Boxtel
Boxmeer
Xanten
TILBURG
St Oedenrode
Wesel
Gemert
Laarbruch
Weeze
Sonsbeck
Goirle
Oirschot
Beek en Donk
Baarle Nassau
Hoogstraten
Hilvarenbeek
Venray
Well
Kevelaer
Alpen
EINDHOVEN
Helmond
Brecht
Veldhoven
Geldrop
Deurne
Arcen
Geldern
Kamp Lintfort
Rheinberg
Turnhout
Reusel
Asten
Horst
LIMBURG
Straelen
Oostmalle
Arendonk
Heeze
Kerken
Moers
Valkenswaard
Venlo
Meijel
Tegelen
Kempen
DUISBURG
Kasterlee
Lommel
Nettetal
KREFELD
Herentals
Mol
Weert
Süchteln
Geel
Swalmen
Viersen
Leopoldsburg
Elmpt
Dülken
Westerlo
Hechtel
Bree
Roermond
Niederkrüchten
Herselt
Beringen
MÖNCHENGLADBACH
Neuss
Maaseik
Wegberg
Rheydt
Zolder
Wildenrath
Rheindahlen
Diest
Wassenberg
Lummen
As
Heinsberg
Erkelenz
Grevenbroich
Leuven (Louvain)
Hasselt
Maasmechelen
Sittard
Genk
Geleen
Geilenkirchen
Tienen
Beek
Brunssum
Titz
Mersch
St-Truiden
Maastricht
Puffendorf
Bergheim
MAASTRICHT
Heerlen
Jülich
Tongeren (Tongres)
Valkenburg
Kerkrade
Elsdorf
Aldenhoven
Jodoigne
Frechen
Kerpen
Waremme
AACHEN
Eschweiler
Hannut (Hannuit)
Visé
Neu-Moresnet
Stolberg
Düren
Erftstadt
Eghezée
Bierset
Battice
Herbesthal
LIÈGE (LUIK)
Seraing
Eupen
Zülpich
Meuse
Huy
Verviers
Simmerath
Andenne
Theux
Monschau
Mechernich
Modave
Remouchamps
Spa
Gemünd
Rur
Erft
A
B
C
1
2
3
4
6
18

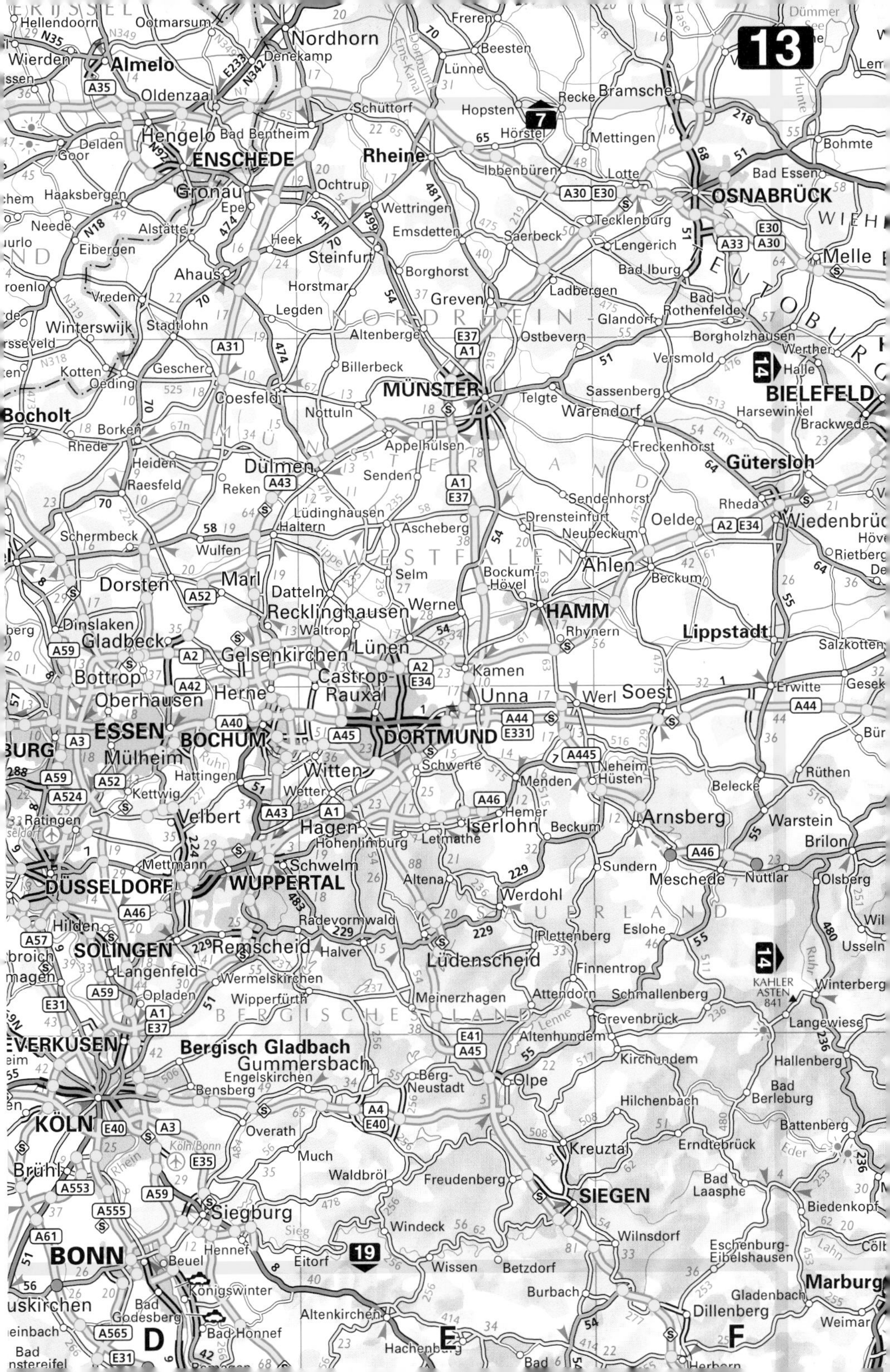
13
Hellendoorn
Ootmarsum
Nordhorn
Freren
Beesten
Dümmer
Wierden
Almelo
Denekamp
Lünne
Oldenzaal
Schüttorf
Hopsten
Recke
Bramsche
7
Hengelo
Bad Bentheim
Hörstel
Mettingen
Bohmte
Delden
Goor
ENSCHEDE
Rheine
Ibbenbüren
Lotte
Bad Essen
Haaksbergen
Gronau
Ochtrup
OSNABRÜCK
Epe
Wettringen
Tecklenburg
Neede
Alstätte
Emsdetten
Saerbeck
Lengerich
Melle
Eibergen
Heek
Steinfurt
Bad Iburg
Ahaus
Borghorst
Horstmar
Ladbergen
Bad Rothenfelde
Vreden
Greven
Legden
Glandorf
Winterswijk
Stadtlohn
NORDRHEIN-
Altenberge
Ostbevern
Borgholzhausen
Kotten
Gescher
Billerbeck
Versmold
Werther
14
Halle
Oeding
Coesfeld
MÜNSTER
Telgte
Sassenberg
BIELEFELD
Bocholt
Nottuln
Warendorf
Harsewinkel
Borken
Brackwede
Rhede
Appelhülsen
Freckenhorst
Heiden
Dülmen
Gütersloh
Raesfeld
Senden
Reken
Sendenhorst
Rheda
Lüdinghausen
Drensteinfurt
Oelde
Wiedenbrück
Schermbeck
Haltern
Ascheberg
Neubeckum
Wulfen
WESTFALEN
Rietberg
Selm
Bockum-Hövel
Ahlen
Beckum
Dorsten
Marl
Datteln
Werne
HAMM
Recklinghausen
Dinslaken
Waltrop
Rhynern
Lippstadt
Gladbeck
Lünen
Salzkotten
Gelsenkirchen
Kamen
Bottrop
Castrop-Rauxel
Erwitte
Oberhausen
Herne
Unna
Werl
Soest
ESSEN
BOCHUM
DORTMUND
Mülheim
Schwerte
Neheim-Hüsten
Rüthen
Hattingen
Witten
Menden
Belecke
Kettwig
Wetter
Hemer
Arnsberg
Warstein
Ratingen
Velbert
Hagen
Iserlohn
Beckum
Brilon
Hohenlimburg
Letmathe
Mettmann
Schwelm
Sundern
Meschede
Nuttlar
Olsberg
DÜSSELDORF
WUPPERTAL
Altena
Werdohl
Hilden
Radevormwald
SAUERLAND
Eslohe
SOLINGEN
Remscheid
Halver
Plettenberg
Usseln
Langenfeld
Lüdenscheid
Finnentrop
Wermelskirchen
KAHLER ASTEN 841
Winterberg
Opladen
Wipperfürth
Meinerzhagen
Attendorn
Schmallenberg
BERGISCHES LAND
Grevenbrück
Langewiese
LEVERKUSEN
Altenhundem
Bergisch Gladbach
Gummersbach
Kirchhundem
Hallenberg
Engelskirchen
Berg-Neustadt
Olpe
Bad Berleburg
Bensberg
Hilchenbach
KÖLN
Overath
Battenberg
Kreuztal
Erndtebrück
Brühl
Köln/Bonn
Much
Waldbröl
Freudenberg
Bad Laasphe
SIEGEN
Biedenkopf
Siegburg
Windeck
Wilnsdorf
Hennef
Eschenburg-Eibelshausen
BONN
Beuel
Eitorf
19
Wissen
Betzdorf
Königswinter
Burbach
Marburg
Euskirchen
Bad Godesberg
Gladenbach
Altenkirchen
Dillenberg
Weimar
Rheinbach
Bad Honnef
D
E
F
Bad Münstereifel
Hachenburg

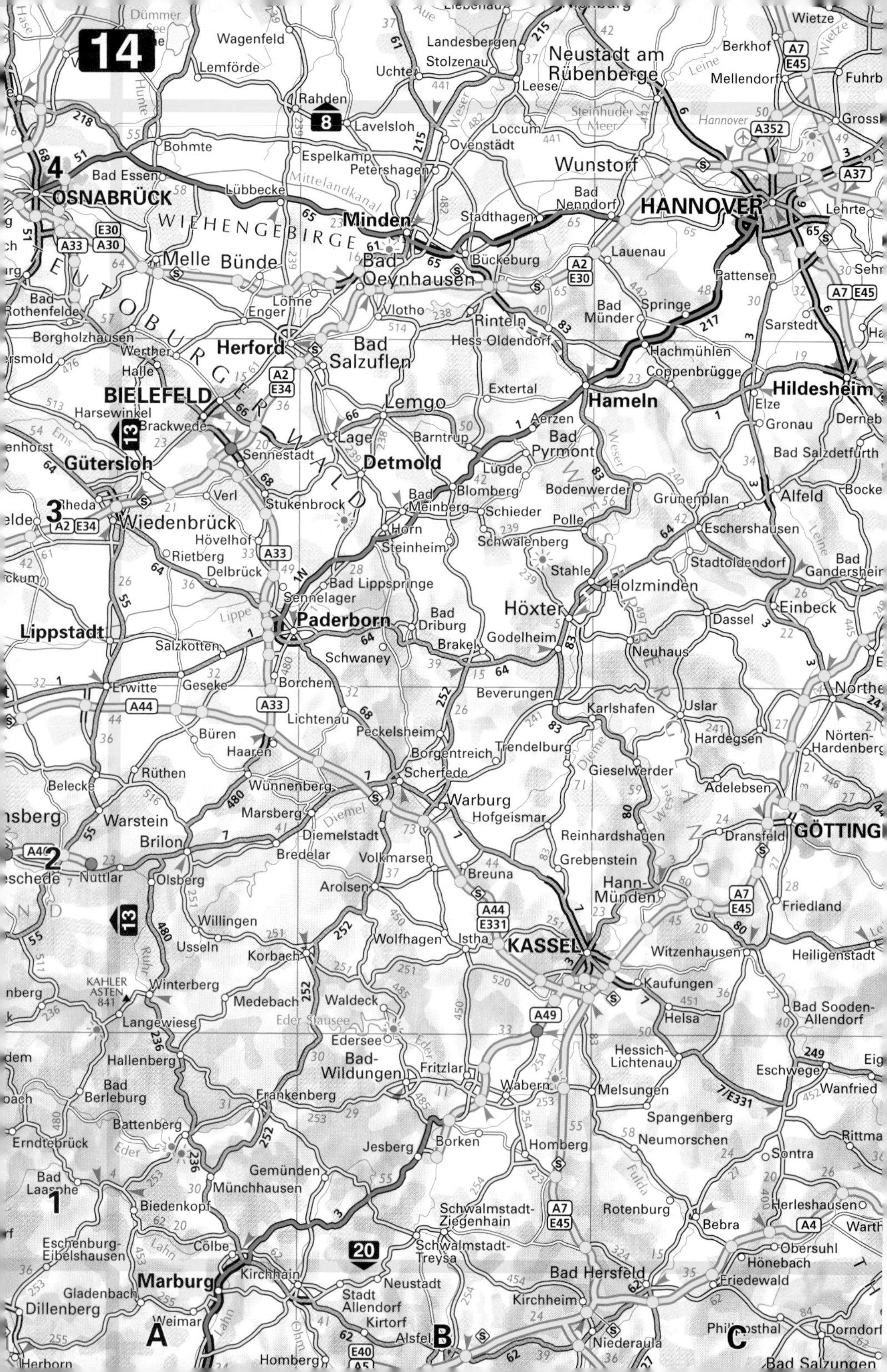
14
Wagenfeld
Lemförde
Dümmer See
Hunte
Landesbergen
Stolzenau
Uchte
Neustadt am Rübenberge
Leese
Steinhuder Meer
Rahden
8
Lavelsloh
Loccum
Ovenstädt
Espelkamp
Petershagen
Wunstorf
Bohmte
Bad Essen
4
OSNABRÜCK
Lübbecke
Mittelandkanal
WIEHENGEBIRGE
Minden
Stadthagen
Bad Nenndorf
HANNOVER
Lehrte
Lauenau
Bückeburg
Melle
Bünde
Bad Oeynhausen
Pattensen
Sarstedt
Bad Rothenfelde
Löhne
Enger
Vlotho
Rinteln
Bad Münder
Springe
Borgholzhausen
Werther
Herford
Bad Salzuflen
Hess Oldendorf
Hachmühlen
Coppenbrügge
Halle
TEUTOBURGER WALD
BIELEFELD
Extertal
Hameln
Hildesheim
Harsewinkel
Brackwede
Lemgo
Aerzen
Elze
Gronau
13
Gütersloh
Sennestadt
Lage
Detmold
Barntrup
Bad Pyrmont
Lügde
Bad Salzdetfurth
Rheda
3
Wiedenbrück
Verl
Stukenbrock
Bad Meinberg
Blomberg
Schieder
Bodenwerder
Grünenplan
Alfeld
Hövelhof
Rietberg
Delbrück
Horn
Steinheim
Schwalenberg
Polle
Eschershausen
Stahle
Stadtoldendorf
Bad Gandersheim
Bad Lippspringe
Sennelager
Holzminden
Lippstadt
Paderborn
Bad Driburg
Höxter
Dassel
Einbeck
Salzkotten
Brakel
Godelheim
Neuhaus
Schwaney
Erwitte
Geseke
Borchen
Beverungen
Northeim
Lichtenau
Karlshafen
Uslar
Büren
Peckelsheim
Trendelburg
Hardegsen
Nörten-Hardenberg
Haaren
Borgentreich
Rüthen
Belecke
Wünnenberg
Scherfede
Gieselwerder
Adelebsen
Warburg
Hofgeismar
Warstein
Marsberg
Diemelstadt
Reinhardshagen
Dransfeld
GÖTTING
Brilon
2
Nuttlar
Bredelar
Volkmarsen
Grebenstein
Olsberg
Breuna
Arolsen
Hann-Münden
Friedland
Willingen
Wolfhagen
Istha
KASSEL
Witzenhausen
Heiligenstadt
Usseln
Korbach
KAHLER ASTEN 841
Winterberg
Medebach
Waldeck
Kaufungen
Helsa
Bad Sooden-Allendorf
Langewiese
Eder Stausee
Edersee
Hessich-Lichtenau
Hallenberg
Bad-Wildungen
Fritzlar
Wabern
Melsungen
Eschwege
Wanfried
Bad Berleburg
Frankenberg
Spangenberg
Battenberg
Borken
Neumorschen
Homberg
Sontra
Erndtebrück
Jesberg
Gemünden
Bad Laasphe
Münchhausen
1
Biedenkopf
Schwalmstadt-Ziegenhain
Rotenburg
Bebra
Herleshausen
Eschenburg-Eibelshausen
Cölbe
Obersuhl
Hönebach
20
Schwalmstadt-Treysa
Marburg
Kirchhain
Neustadt
Bad Hersfeld
Friedewald
Gladenbach
Stadt Allendorf
Kirchheim
Dillenberg
Weimar
Kirtorf
A
Alsfeld
B
Niederaula
Philippsthal
C
Dorndorf
Herborn
Homberg
Bad Salzungen

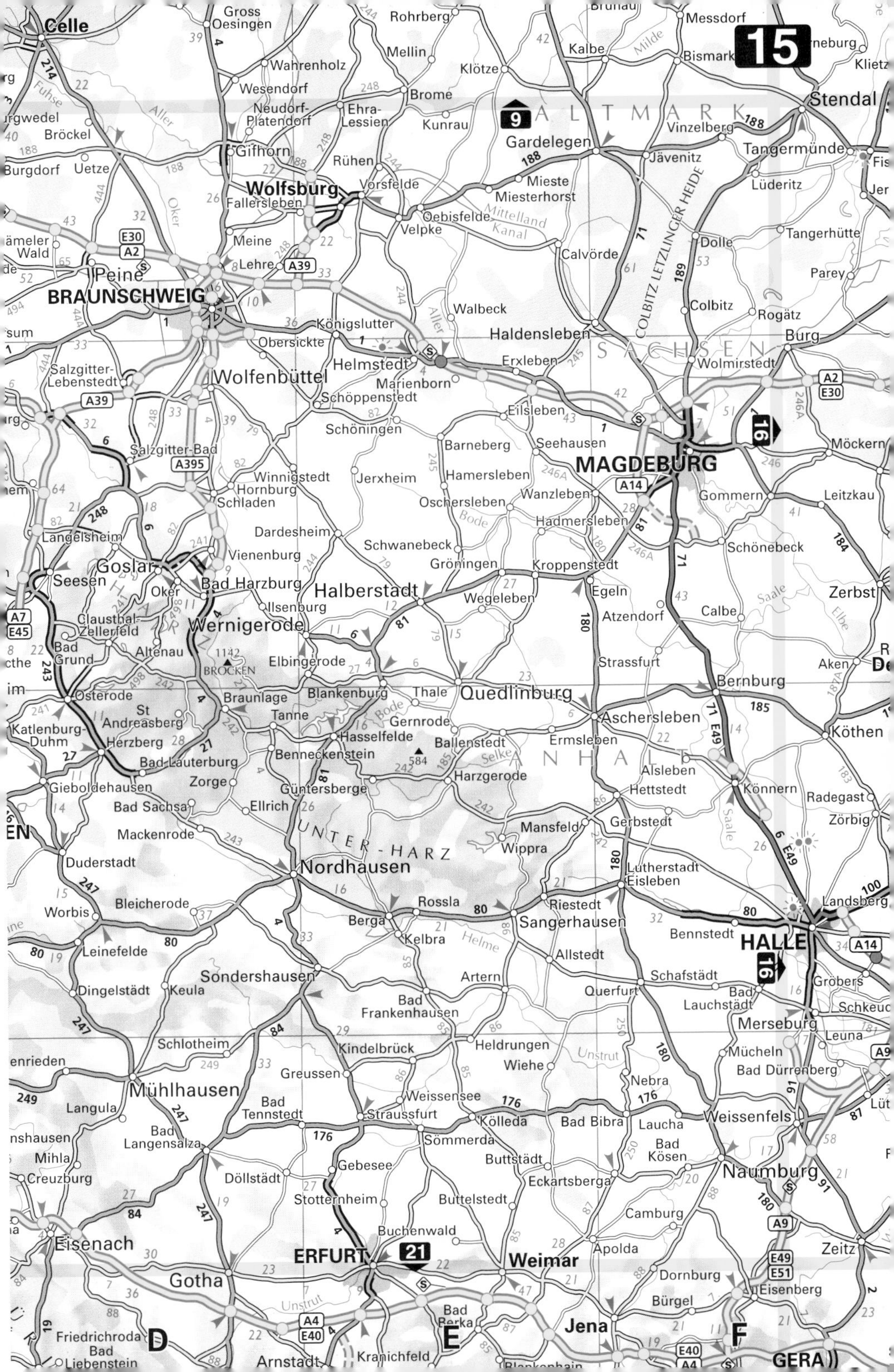
15
Celle
Gross Oesingen
Rohrberg
Messdorf
Kalbe
Bismark
Klietz
Mellin
Klötze
Wahrenholz
Wesendorf
Brome
Stendal
Burgwedel
Bröckel
Neudorf-Platendorf
Ehra-Lessien
Kunrau
9
ALTMARK
Vinzelberg
Gifhorn
Gardelegen
Jävenitz
Tangermünde
Burgdorf
Uetze
Rühen
Mieste
Miesterhorst
Lüderitz
Wolfsburg
Vorsfelde
Fallersleben
Oebisfelde
Velpke
Mittelland Kanal
Hämeler Wald
Meine
Calvörde
Tangerhütte
Dolle
Peine
Lehre
BRAUNSCHWEIG
Parey
Walbeck
Colbitz
Rogätz
COLBITZ LETZLINGER HEIDE
Königslutter
Haldensleben
Burg
Obersickte
SACHSEN
Helmstedt
Marienborn
Erxleben
Wolmirstedt
Salzgitter-Lebenstedt
Wolfenbüttel
Schöppenstedt
Eilsleben
Schöningen
Barneberg
Seehausen
MAGDEBURG
Möckern
Salzgitter-Bad
Jerxheim
Hamersleben
Winnigstedt
Hornburg
Schladen
Oschersleben
Wanzleben
Gommern
Leitzkau
Langelsheim
Dardesheim
Hadmersleben
Schwanebeck
Schönebeck
Goslar
Vienenburg
Gröningen
Kroppenstedt
Seesen
Oker
Bad Harzburg
Halberstadt
Egeln
Zerbst
Ilsenburg
Wegeleben
Clausthal-Zellerfeld
Wernigerode
Atzendorf
Calbe
Bad Grund
Altenau
1142 BROCKEN
Elbingerode
Strassfurt
Aken
Osterode
Braunlage
Blankenburg
Thale
Quedlinburg
Bernburg
St Andreasberg
Tanne
Gernrode
Aschersleben
Köthen
Katlenburg-Duhm
Herzberg
Hasselfelde
Ballenstedt
Ermsleben
Bad Lauterburg
Benneckenstein
584
ANHALT
Alsleben
Gieboldehausen
Zorge
Güntersberge
Harzgerode
Hettstedt
Könnern
Radegast
Bad Sachsa
Ellrich
Zörbig
Mackenrode
UNTER-HARZ
Mansfeld
Gerbstedt
Wippra
Duderstadt
Nordhausen
Lutherstadt Eisleben
Bleicherode
Rossla
Riestedt
Landsberg
Worbis
Berga
Kelbra
Sangerhausen
Bennstedt
HALLE
Leinefelde
Helme
Allstedt
Sondershausen
Artern
Schafstädt
Dingelstädt
Keula
Querfurt
Bad Lauchstädt
Gröbers
Bad Frankenhausen
Schkeuditz
Merseburg
Schlotheim
Kindelbrück
Heldrungen
Unstrut
Mücheln
Leuna
Greussen
Wiehe
Nebra
Bad Dürrenberg
Mühlhausen
Weissensee
Langula
Bad Tennstedt
Straussfurt
Kölleda
Bad Bibra
Laucha
Weissenfels
Bad Langensalza
Sömmerda
Bad Kösen
Mihla
Buttstädt
Creuzburg
Döllstädt
Gebesee
Eckartsberga
Naumburg
Stotternheim
Buttelstedt
Camburg
Eisenach
Buchenwald
ERFURT
21
Apolda
Zeitz
Weimar
Gotha
Dornburg
Eisenberg
Bürgel
Friedrichroda
Bad Liebenstein
Bad Berka
Jena
Arnstadt
Kranichfeld
GERA
D
E
F
A2
E30
A39
A395
A7
E45
A14
A9
A4
E40
E49
E51
16

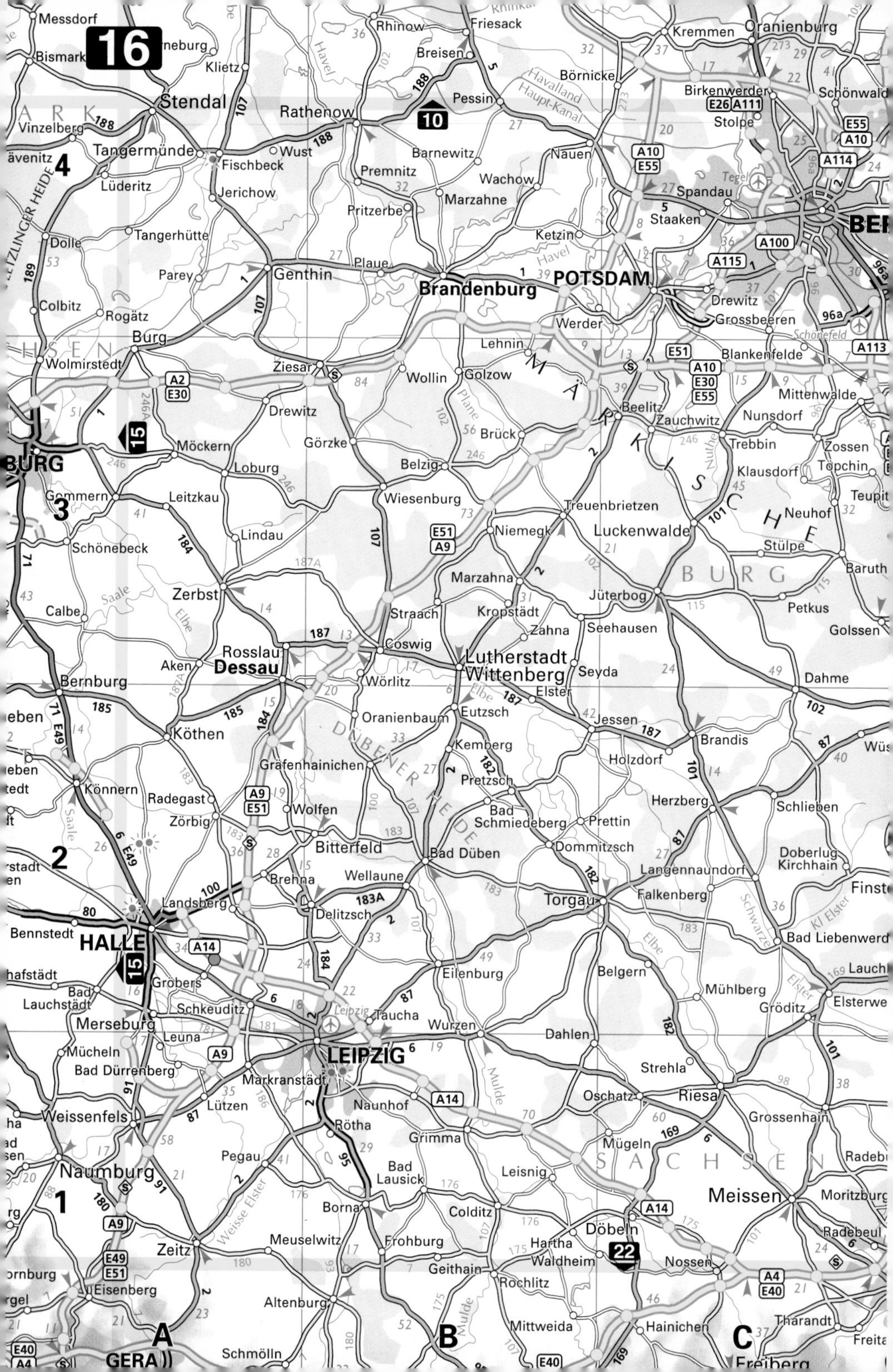
16
Stendal
Tangermünde
Rathenow
Brandenburg
POTSDAM
Spandau
Oranienburg
Nauen
Genthin
Burg
Zerbst
Rosslau
Dessau
Lutherstadt Wittenberg
Jüterbog
Luckenwalde
Köthen
Bernburg
HALLE
Merseburg
Bitterfeld
Delitzsch
LEIPZIG
Torgau
Eilenburg
Wurzen
Grimma
Borna
Döbeln
Riesa
Meissen
Naumburg
Weissenfels
Zeitz
GERA
Freiberg
MÄRKISCHE HEIDE
DÜBENER HEIDE
SACHSEN
10
15
22

17
Finow
Moryn
Bad Freienwalde
Siekierki
Mieszkowice
Kłodawa
Biesenthal
Dębno
Baczyna
Santok
Bernau
Wriezen
Boleszkowice
Witnica
Bogdaniec
Gorzów Wielkopolski
Tiefensee
11
Werneuchen
Prötzel
Sarbinowo
Bolemin
Letschin
Warta
Strausberg
Marxwalde
Kostrzyn
Krzeszyce
Waldowice
Buckow
Manschnow
Skwierzyna
Przytoc
LIN
Seelow
Słońsk
Müncheberg
Górzyca
Lubniewice
Herzfelde
Grünheide
Ośno
Fürstenwalde
Lebus
Sulęcin
Pieski
PUSZCZA
Frankfurt (Oder)
Słubice
Rzepin
A12
E30
Königs-Wusterhausen
Friedersdorf
Bad Saarow-Pieskow
Łagów
Świecko
Torzym
Poźrzadło
Storkow
RZEPIŃSKA
Brieskow-Finkenheerd
Müllrose
Sądów
E30
Świebodzin
Dahme
Cybinka
Beeskow
Eisenhüttenstadt
Märkisch Buchholz
Alt Schadow
Skąpe
Spree
Korczyców
Friedland
Trebatsch
NIZINA
HEIDE
Maszecwo
Radnica
Krosno Odrzanskie
Brody
Chlebowo
Odra
SPREEWALD
Lieberose
Zawada
Biebersdorf
Lamsfeld
Lübben
Guben
Gubin
Lésniów Wielki
Straupitz
Bobrowice
Zielona Góra
Lübbenau
Świdnica
Duben
Bóbr
Luckau
Peitz
Lubsza
Burg
Nowogród Bobrzański
Vetschau
Brody
Cottbus
Lubsko
Calau
Zasieki
A15
E36
Forst
Jasień
Kożuchów
Nowe Miasteczko
Münchhausen
Lipinki Łużyckie
Drebkau
Olszyna
Trzebiel
Żary
Żagań
Döbern
Gross Räschen
Spremberg
Szprotawa
Tschernitz
Leknica
Senftenberg
Weisswasser
Bad Muskau
Rudawica
Ruhland
Iłowa
Neisse
BORY
E55
A13
Hoyerswerda
MUSKAUER
Gozdnica
Kwisa
FORST
Ortrand
Bernsdorf
Wittichenau
DOLOŚLĄSK
Thiendorf
Kliczków
Kamenz
Rothenburg
Königsbrück
Niesky
Węgliniec
Bolesławiec
Pulsnitz
A4
E40
E40
Zebrzydowa
Nowogrodziec
Radeberg
Bautzen
Görlitz
Bischofswerda
Zgorzelec
Lwowek Slaski
23
Löbau
Reichenbach
Neukirch
Lubań
DRESDEN
Oppach
Olszyna
Zawidów
Neustadt
Herrnhut
Heidenau
Lésna
Pirna
D
Sebnitz
Ebersbach
E
Ostritz
F
Gryfów Śląski
Neugersdorf
Habartice

18
Hannut (Hannuit)
Waremme
Eghe
Bierset
Visé
Battice
AACHEN
Neu-Moresnet
Stolberg
Eschweiler
Düren
Erftstadt
LIÈGE (LUIK)
Herbesthal
Amay
Seraing
Eupen
Zülpich
12
Meuse
Huy
Andenne
Verviers
Simmerath
Theux
Monschau
Mechernich
Modave
Remouchamps
Spa
Gemünd
Schleiden
Yvoir
Havelange
Hamoir
Xhoffraix
Lorcé
Werbomont
Malmedy
Stavelot
Bütgenbach
Ciney
Durbuy
Trois-Ponts
Ligneuville
Losheim
Blankenheim
Anseremme
Marche-en-Famenne
Hotton
Stadtkyll
Ourthe
Vielsalm
St Vith
Rochefort
Nadrin
Han-sur-Lesse
La Roche-en-Ardenne
Kelberg
Wellin
Champlon
Houffalize
Wemperhaardt
Prüm
Gerolstein
St-Hubert
Pronsfeld
Schönecken
Daun
Clervaux
Waxweiler
Bastogne
Dasburg
Manderscheid
Paliseul
Libramont
Wiltz
Kyllburg
Bertrix
Esch-sur-Sûre
Vianden
Bitburg
Wittlich
Neufchâteau
Herbeumont
Martelange
Ettelbruck
Diekirch
Florenville
Habay
Larochette
Echternach
Schweich
Carignan
Etalle
Saeul
Mersch
Arlon
Alzette
Wasserbillig
Trier
Ruwer
Thalfang
Virton
LUXEMBOURG
Konz
Grevenmacher
Reinsfeld
Chiers
Stenay
Montmédy
Aubange
Pétange
Findel
Ehnen
Saarburg
Zerf
Longwy
Differdange
Trassem
Longuyon
Esch-sur-Alzette
Remich
Dun
Dudelange
Mondorf-les-Bains
Orscholz
Primstal
Mettlach
Losheim
Damvillers
Audun-le-Roman
Aumetz
Hettange-Grande
Sierck-les-Bains
Merzig
Spincourt
Hayange
Thionville
Lebach
Uckange
Metzervisse
Dillingen
Etain
Briey
Verdun
Rombas
Bouzonville
Saarlouis
Auboué
Hagondange
Völklingen
Conflans
Jarny
Boulay-Moselle
Creutzwald
Fresnes-en-Woëvre
Argancy
Carling
Forbach
Chambley-Bussières
Ars-sur-Moselle
METZ
Freyming Merlebach
St-Avold
Farébersviller
Vigneulles
24
Pagny
Frescaty
Faulquemont
Pierrefitte
Thiaucourt-Regniéville
Verny
Puttelange
St-Mihiel
Pont-à-Mousson
Grostenquin
Sarralbe
Nomeny
A
B
C
1
2
3
4

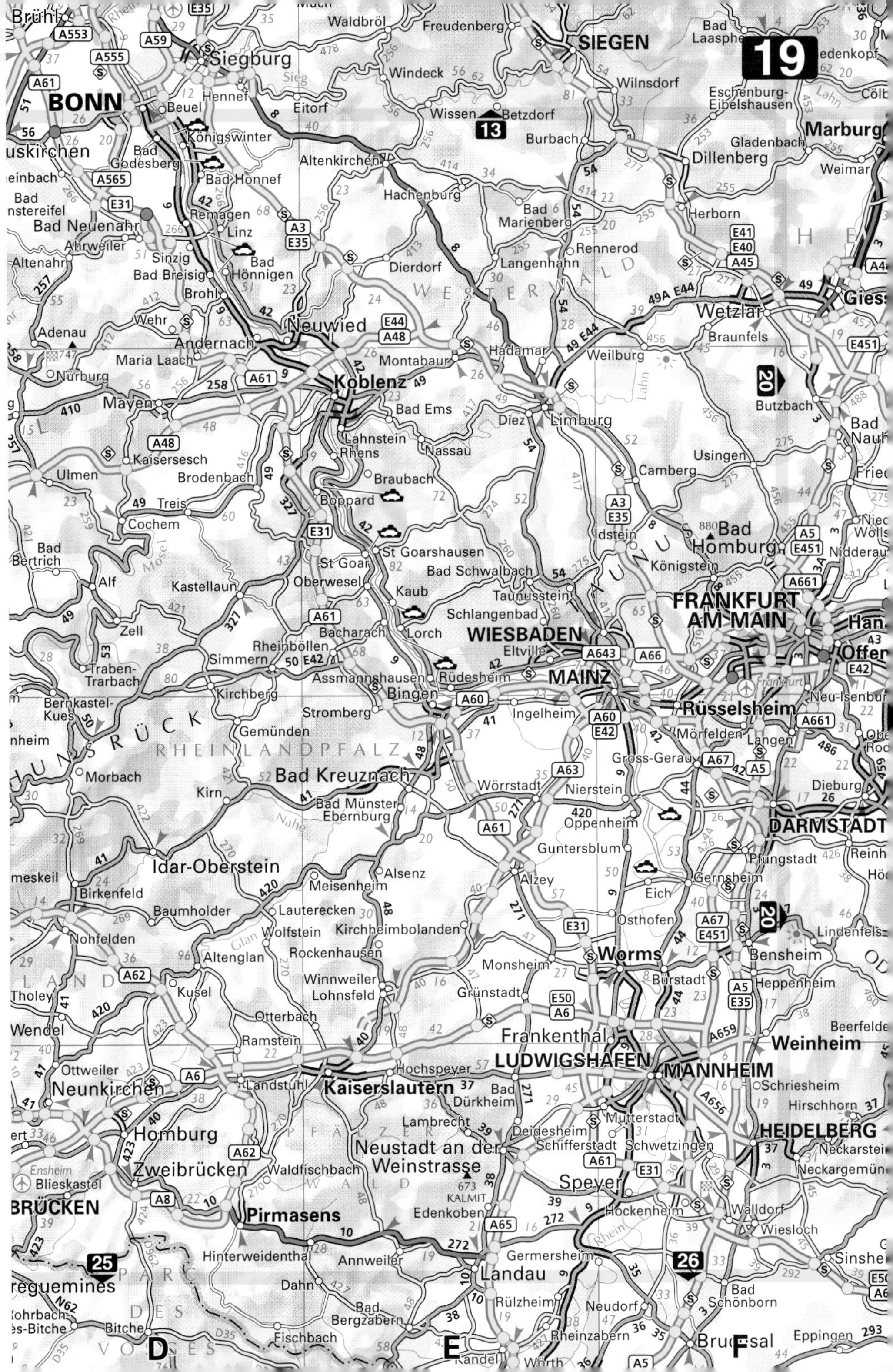

19
Brühl
Bonn
Siegburg
Hennef
Beuel
Königswinter
Bad Godesberg
Bad Honnef
Euskirchen
Rheinbach
Bad Münstereifel
Bad Neuenahr
Ahrweiler
Altenahr
Remagen
Linz
Sinzig
Bad Breisig
Bad Hönnigen
Brohl
Adenau
Nürburg
Wehr
Andernach
Maria Laach
Neuwied
Mayen
Koblenz
Waldbröl
Windeck
Eitorf
Freudenberg
Siegen
Wissen
Betzdorf
13
Wilnsdorf
Burbach
Bad Laasphe
Eschenburg-Eibelshausen
Gladenbach
Marburg
Dillenberg
Weimar
Herborn
Altenkirchen
Hachenburg
Bad Marienberg
Rennerod
Langenhahn
Dierdorf
Westerwald
Wetzlar
Giessen
Braunfels
Weilburg
Hadamar
Montabaur
Diez
Limburg
Bad Ems
Lahnstein
Rhens
Nassau
Braubach
Boppard
20
Butzbach
Bad Nauheim
Usingen
Camberg
Idstein
Bad Homburg
Königstein
Kaisersesch
Ulmen
Brodenbach
Treis
Cochem
Bad Bertrich
Alf
Zell
Traben-Trarbach
Bernkastel-Kues
Kastellaun
St Goar
St Goarshausen
Oberwesel
Kaub
Bad Schwalbach
Taunusstein
Schlangenbad
Bacharach
Lorch
Rheinböllen
Simmern
Kirchberg
Assmannshausen
Rüdesheim
Bingen
Stromberg
Wiesbaden
Eltville
Mainz
Frankfurt am Main
Offenbach
Rüsselsheim
Neu-Isenburg
Langen
Mörfelden
Ingelheim
Hunsrück
Rheinland-Pfalz
Gemünden
Morbach
Kirn
Bad Kreuznach
Bad Münster Ebernburg
Wörrstadt
Nierstein
Oppenheim
Gross-Gerau
Dieburg
Darmstadt
Pfungstadt
Guntersblum
Alzey
Idar-Oberstein
Birkenfeld
Meisenheim
Alsenz
Lauterecken
Baumholder
Wolfstein
Kirchheimbolanden
Rockenhausen
Nohfelden
Altenglan
Kusel
Winnweiler
Lohnsfeld
Gernsheim
Eich
Osthofen
Worms
Monsheim
Grünstadt
Bürstadt
Bensheim
Heppenheim
Lindenfels
Tholey
St Wendel
Otterbach
Ramstein
Frankenthal
Ludwigshafen
Mannheim
Weinheim
Schriesheim
Ottweiler
Neunkirchen
Landstuhl
Kaiserslautern
Hochspeyer
Bad Dürkheim
Mutterstadt
Hirschhorn
Heidelberg
Homburg
Lambrecht
Deidesheim
Schifferstadt
Schwetzingen
Neckarsteinach
Neckargemünd
Ensheim
Blieskastel
Zweibrücken
Waldfischbach
Neustadt an der Weinstrasse
Pfälzer Wald
Speyer
Saarbrücken
Pirmasens
Edenkoben
Kalmit
Hockenheim
Walldorf
Wiesloch
Sinsheim
25
Sarreguemines
Hinterweidenthal
Annweiler
Landau
Germersheim
26
Bad Schönborn
Dahn
Bad Bergzabern
Rülzheim
Neudorf
Rohrbach-lès-Bitche
Bitche
Parc des Vosges
Fischbach
Rheinzabern
Bruchsal
Eppingen
Kandel
Wörth
D
E
F

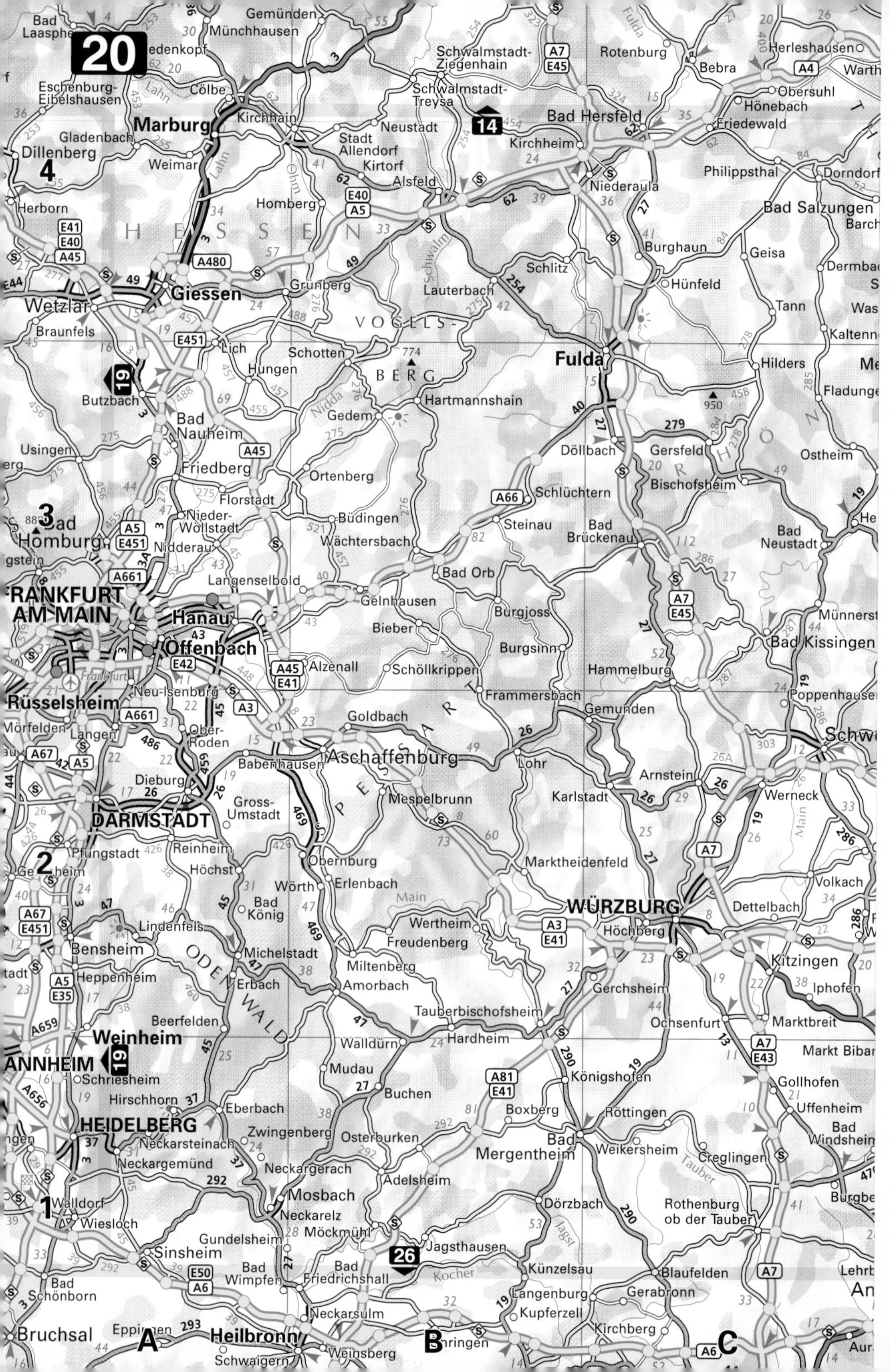
20
Bad Laasphe
Gemünden
Münchhausen
Biedenkopf
Eschenburg-Eibelshausen
Cölbe
Marburg
Kirchhain
Gladenbach
Dillenberg
Weimar
4
Herborn
Schwalmstadt-Ziegenhain
Schwalmstadt-Treysa
14
Neustadt
Stadt Allendorf
Kirtorf
Alsfeld
Homberg
Rotenburg
Bebra
Herleshausen
Obersuhl
Hönebach
Warth
Bad Hersfeld
Friedewald
Kirchheim
Niederaula
Philippsthal
Dorndorf
Bad Salzungen
Barch
H E S S E N
Wetzlar
Giessen
Grünberg
Braunfels
Lich
Hungen
Schotten
VOGELS-
BERG
774
Lauterbach
Schlitz
Burghaun
Hünfeld
Geisa
Tann
Dermbach
Fulda
Hilders
Kaltennordheim
Fladungen
Butzbach
19
Bad Nauheim
Gedem
Hartmannshain
950
Usingen
Friedberg
Ortenberg
Döllbach
Gersfeld
Bischofsheim
Ostheim
Florstadt
Nieder-Wöllstadt
Büdingen
Schlüchtern
Steinau
Bad Brückenau
Bad Neustadt
3
880
Bad Homburg
Nidderau
Wächtersbach
Bad Orb
Langenselbold
Gelnhausen
Burgjoss
FRANKFURT AM MAIN
Hanau
Offenbach
Bieber
Burgsinn
Münnerstadt
Bad Kissingen
Alzenall
Schöllkrippen
Hammelburg
Rüsselsheim
Neu-Isenburg
Frankfurt
Frammersbach
Gemunden
Poppenhausen
Mörfelden
Langen
Ober-Roden
Goldbach
SPESSART
Aschaffenburg
Lohr
Schweinfurt
Babenhausen
Dieburg
Arnstein
Werneck
Gross-Umstadt
Mespelbrunn
Karlstadt
DARMSTADT
Pfungstadt
Reinheim
2
Gernsheim
Höchst
Obernburg
Marktheidenfeld
Wörth
Erlenbach
Main
Bad König
Lindenfels
Wertheim
WÜRZBURG
Dettelbach
Volkach
Höchberg
Bensheim
Michelstadt
Freudenberg
Miltenberg
Kitzingen
Heppenheim
Erbach
Amorbach
Gerchsheim
Iphofen
ODENWALD
Beerfelden
Tauberbischofsheim
Ochsenfurt
Marktbreit
Weinheim
Walldürn
Hardheim
Markt Bibart
MANNHEIM
Schriesheim
Mudau
Königshofen
Gollhofen
Hirschhorn
Buchen
Uffenheim
Eberbach
Boxberg
Röttingen
HEIDELBERG
Zwingenberg
Osterburken
Bad Mergentheim
Weikersheim
Creglingen
Bad Windsheim
Neckarsteinach
Neckargemünd
Neckargerach
Adelsheim
Tauber
Mosbach
Dörzbach
Rothenburg ob der Tauber
Burgbernheim
1
Walldorf
Wiesloch
Neckarelz
Möckmühl
Jagst
Gundelsheim
Jagsthausen
26
Sinsheim
Bad Wimpfen
Bad Friedrichshall
Kocher
Künzelsau
Blaufelden
Lehrberg
Bad Schönborn
Langenburg
Gerabronn
Kupferzell
Neckarsulm
Bruchsal
Eppingen
A
Heilbronn
B
Öhringen
Kirchberg
C
Schwaigern
Weinsberg
Aurach
Ansbach

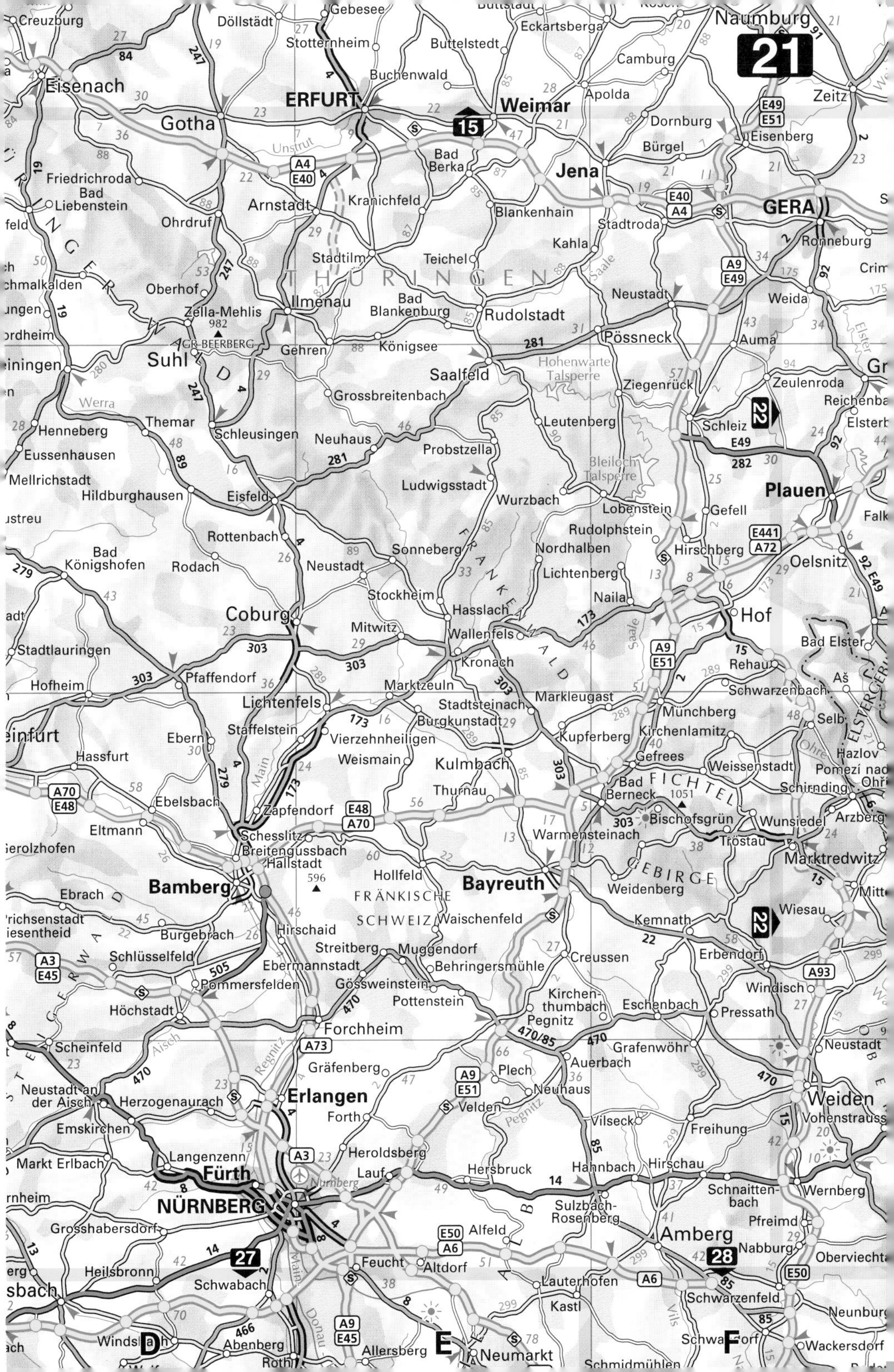

21
Creuzburg
Döllstädt
Gebesee
Stotternheim
Buttelstedt
Eckartsberga
Naumburg
Eisenach
Buchenwald
Camburg
Apolda
Zeitz
ERFURT
Weimar
15
Gotha
Dornburg
Eisenberg
Unstrut
Bad Berka
Bürgel
Friedrichroda
Bad Liebenstein
Arnstadt
Kranichfeld
Jena
Blankenhain
Stadtroda
GERA
Ohrdruf
Ronneburg
Kahla
Stadtilm
Teichel
THÜRINGEN
Schmalkalden
Oberhof
Zella-Mehlis
Ilmenau
Bad Blankenburg
Rudolstadt
Neustadt
Weida
GR. BEERBERG
Gehren
Königsee
Pössneck
Auma
Suhl
Saalfeld
Hohenwarte Talsperre
Ziegenrück
Zeulenroda
Werra
Grossbreitenbach
Reichenbach
Henneberg
Themar
Schleusingen
Neuhaus
Leutenberg
Schleiz
22
Eussenhausen
Probstzella
Bleiloch Talsperre
Mellrichstadt
Ludwigsstadt
Plauen
Hildburghausen
Eisfeld
Wurzbach
Lobenstein
Gefell
Rudolphstein
Rottenbach
Nordhalben
Hirschberg
Bad Königshofen
Sonneberg
Oelsnitz
Rodach
Neustadt
Lichtenberg
Stockheim
Naila
Coburg
Hasslach
Hof
Mitwitz
Wallenfels
Bad Elster
Stadtlauringen
Kronach
Rehau
Pfaffendorf
Aš
Hofheim
Marktzeuln
Schwarzenbach
Lichtenfels
Stadtsteinach
Markleugast
Münchberg
Selb
Staffelstein
Burgkunstadt
Kupferberg
Kirchenlamitz
Ebern
Vierzehnheiligen
Hazlov
Hassfurt
Weismain
Kulmbach
Gefrees
Weissenstadt
Pomezí nad Ohří
Thurnau
Bad Berneck
FICHTEL
Schirnding
Ebelsbach
Zapfendorf
Bischofsgrün
Wunsiedel
Arzberg
Eltmann
Schesslitz
Warmensteinach
Tröstau
Gerolzhofen
Breitengussbach
Hallstadt
GEBIRGE
Marktredwitz
Bamberg
Hollfeld
Bayreuth
Weidenberg
Ebrach
FRÄNKISCHE SCHWEIZ
Waischenfeld
Wiesau
Prichsenstadt
Wiesentheid
Burgebrach
Hirschaid
Kemnath
Schlüsselfeld
Streitberg
Muggendorf
Erbendorf
Ebermannstadt
Behringersmühle
Creussen
Pommersfelden
Gössweinstein
Windisch
Pottenstein
Kirchenthumbach
Eschenbach
Höchstadt
Pressath
Forchheim
Pegnitz
Scheinfeld
Grafenwöhr
Neustadt
Gräfenberg
Auerbach
Plech
Neustadt an der Aisch
Erlangen
Neuhaus
Weiden
Herzogenaurach
Velden
Vohenstrauss
Emskirchen
Forth
Vilseck
Freihung
Markt Erlbach
Langenzenn
Heroldsberg
Fürth
Lauf
Hersbruck
Hahnbach
Hirschau
NÜRNBERG
Sulzbach-Rosenberg
Schnaittenbach
Wernberg
Grosshabersdorf
Alfeld
Amberg
Pfreimd
Nabburg
Oberviechtach
27
28
Heilsbronn
Feucht
Altdorf
Schwabach
Lauterhofen
Schwarzenfeld
Kastl
Neunburg
Windsbach
Abenberg
Allersberg
Neumarkt
Schwandorf
Wackersdorf
Roth
Schmidmühlen
D
E
F

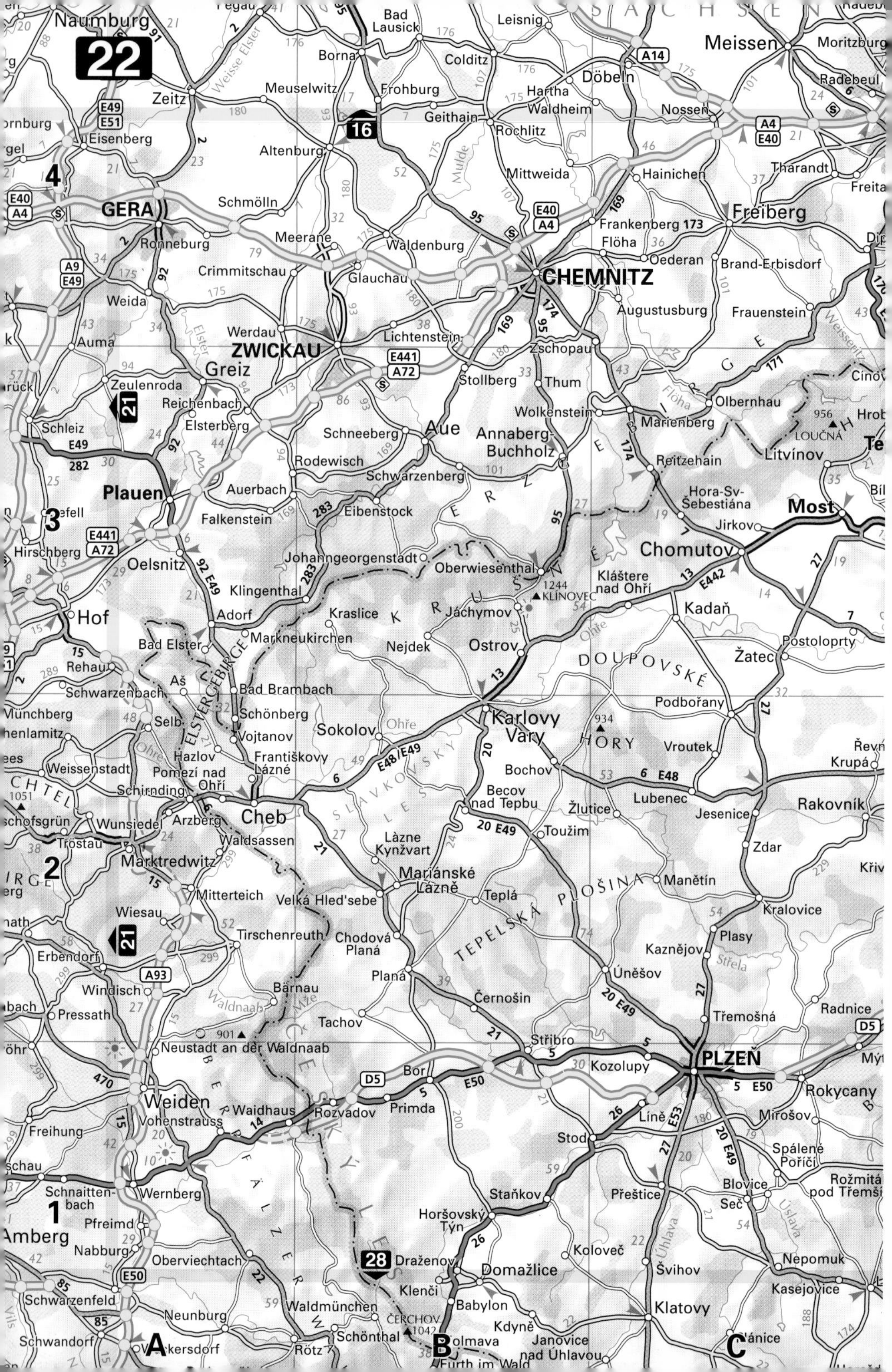
22
Naumburg
Bad Lausick
Leisnig
Meissen
Moritzburg
Borna
Colditz
Döbeln
Radebeul
Zeitz
Meuselwitz
Frohburg
Hartha
Waldheim
Nossen
Geithain
Rochlitz
16
Eisenberg
Altenburg
Hainichen
Tharandt
Mittweida
Freiberg
GERA
Schmölln
Frankenberg
Flöha
Oederan
Ronneburg
Meerane
Waldenburg
Brand-Erbisdorf
Crimmitschau
Glauchau
CHEMNITZ
Weida
Augustusburg
Frauenstein
Werdau
Lichtenstein
ZWICKAU
Zschopau
Auma
Greiz
Stollberg
Thum
Zeulenroda
Olbernhau
Reichenbach
Wolkenstein
Marienberg
Schleiz
Elsterberg
Schneeberg
Aue
Annaberg-Buchholz
Litvínov
Rodewisch
Reitzehain
Schwarzenberg
Plauen
Auerbach
Hora-Sv-Šebestiána
Most
Falkenstein
Eibenstock
Jirkov
Hirschberg
Oelsnitz
Johanngeorgenstadt
Oberwiesenthal
Chomutov
Klingenthal
Klášterec nad Ohří
KLÍNOVEC
Hof
Adorf
Kraslice
Jáchymov
Kadaň
Bad Elster
Markneukirchen
Nejdek
Ostrov
Postoloprty
Rehau
Žatec
Schwarzenbach
Aš
Bad Brambach
DOUPOVSKÉ
Münchberg
Selb
Schönberg
Sokolov
Karlovy Vary
Podbořany
Vojtanov
HORY
Weissenstadt
Hazlov
Františkovy Lázně
Vroutek
Pomezí nad Ohří
Bochov
Krupá
Schirnding
Becov nad Tepbu
Lubenec
Rakovník
Arzberg
Cheb
Žlutice
Jesenice
Wunsiedel
Tröstau
Waldsassen
Lázne Kynžvart
Toužim
Zdar
Marktredwitz
Mariánské Lázně
Manětín
Mitterteich
Velká Hled'sebe
Teplá
Kralovice
Wiesau
Chodová Planá
TEPELSKÁ PLOŠINA
Plasy
Tirschenreuth
Kaznějov
Erbendorf
Planá
Úněšov
Windisch
Bärnau
Černošin
Pressath
Tachov
Třemošná
Radnice
Neustadt an der Waldnaab
Stříbro
Kozolupy
PLZEŇ
Weiden
Bor
Rokycany
Waidhaus
Rozvadov
Primda
Líně
Vohenstrauss
Mirošov
Freihung
Stod
Spálené Poříčí
Schnaittenbach
Wernberg
Staňkov
Přeštice
Blovice
Rožmitál pod Třemšínem
Pfreimd
Horšovský Týn
Seč
Amberg
Nabburg
Oberviechtach
Koloveč
Nepomuk
Draženov
Domažlice
Švihov
Schwarzenfeld
Klenči
Kasejovice
Neunburg
Waldmünchen
Babylon
Klatovy
ČERCHOV
Kdyně
Schwandorf
Schönthal
Folmava
Janovice nad Úhlavou
Rötz
Furth im Wald
ERZGEBIRGE
ELSTERGEBIRGE
SLAVKOVSKÝ LES
KRUŠNÉ HORY
ČESKÝ LES
OBERPFÄLZER WALD
SACHSEN
A
B
C
1
2
3
4

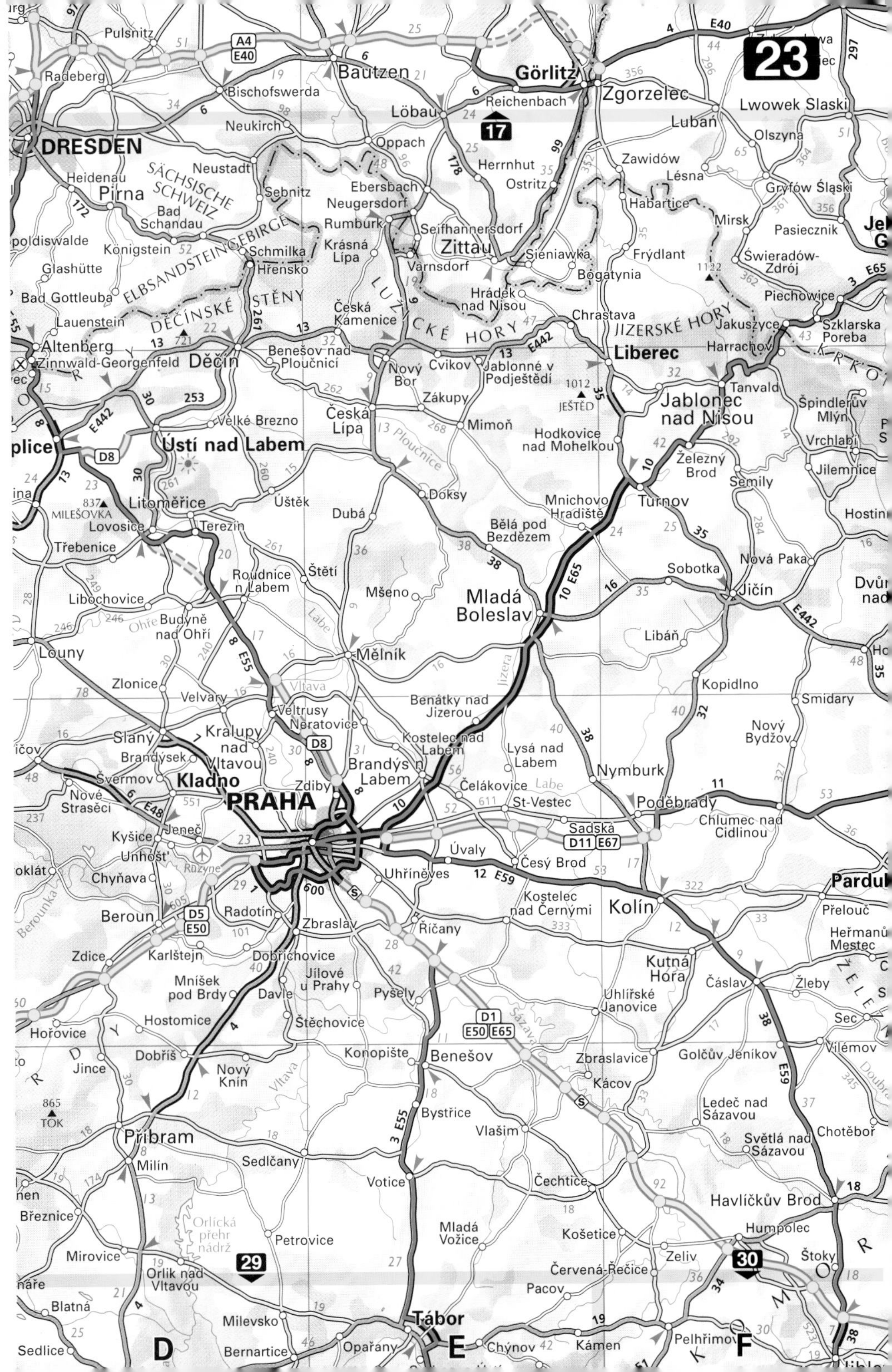

23
17
29
30
D
E
F
DRESDEN
Bautzen
Görlitz
Zgorzelec
Reichenbach
Löbau
Bischofswerda
Radeberg
Pulsnitz
Neukirch
Oppach
Lwowek Slaski
Lubań
Olszyna
Zawidów
Lésna
Gryfów Śląski
Herrnhut
Ostritz
Neustadt
Heidenau
Pirna
SÄCHSISCHE SCHWEIZ
Bad Schandau
Sebnitz
Ebersbach
Neugersdorf
Rumburk
Seifhennersdorf
Zittau
Habartice
Mirsk
Pasiecznik
Königstein
Schmilka
Hřensko
ELBSANDSTEINGEBIRGE
Krásná Lípa
Varnsdorf
Sieniawka
Bogatynia
Frýdlant
Świeradów-Zdrój
Glashütte
Bad Gottleuba
DĚČÍNSKÉ STĚNY
LUŽICKÉ HORY
Hrádek nad Nisou
Piechowice
Lauenstein
Česká Kamenice
Chrastava
JIZERSKÉ HORY
Jakuszyce
Szklarska Poreba
Altenberg
Zinnwald-Georgenfeld
Děčín
Benešov nad Ploučnicí
Nový Bor
Cvikov
Jablonné v Podještědí
Liberec
Harrachov
Tanvald
Jablonec nad Nisou
Špindlerův Mlýn
JEŠTĚD
Zákupy
Česká Lípa
Mimoň
Velké Brezno
Ústí nad Labem
Hodkovice nad Mohelkou
Vrchlabí
Železný Brod
Jilemnice
Semily
Ploučnice
Litoměřice
Úštěk
Doksy
MILEŠOVKA
Lovosice
Terezín
Dubá
Mnichovo Hradiště
Turnov
Bělá pod Bezdězem
Třebenice
Nová Paka
Roudnice n Labem
Štětí
Sobotka
Mšeno
Mladá Boleslav
Jičín
Libochovice
Budyně nad Ohří
Ohře
Labe
Libáň
Louny
Mělník
Zlonice
Vltava
Kopidlno
Smidary
Velvary
Veltrusy
Neratovice
Benátky nad Jizerou
Jizera
Nový Bydžov
Slaný
Kralupy nad Vltavou
Brandýsek
Kostelec nad Labem
Lysá nad Labem
Švermov
Kladno
Brandýs n Labem
Nymburk
Nové Strašeci
Zdiby
Čelákovice
PRAHA
St-Vestec
Poděbrady
Kyšice
Jeneč
Sadská
Chlumec nad Cidlinou
Unhošť
Úvaly
Ruzyne
Český Brod
Chyňava
Uhříněves
Pardubice
Beroun
Radotín
Kostelec nad Černými
Kolín
Přelouč
Berounka
Zbraslav
Říčany
Heřmanův Městec
Zdice
Karlštejn
Dobřichovice
Kutná Hora
Jílové u Prahy
Mníšek pod Brdy
Davle
Pyšely
Čáslav
Žleby
Uhlířské Janovice
Hořovice
Hostomice
Štěchovice
Sec
Sázava
Vilémov
Konopište
Benešov
Zbraslavice
Golčův Jeníkov
Jince
Dobříš
Nový Knín
Kácov
TOK
Bystřice
Ledeč nad Sázavou
Chotěboř
Příbram
Vlašim
Světlá nad Sázavou
Milín
Sedlčany
Votice
Čechtice
Havlíčkův Brod
Březnice
Orlická přehr nádrž
Petrovice
Mladá Vožice
Košetice
Humpolec
Mirovice
Želiv
Štoky
Orlik nad Vltavou
Červená Řečice
Pacov
Blatná
Milevsko
Tábor
Sedlice
Bernartice
Opařany
Chýnov
Kámen
Pelhřimov

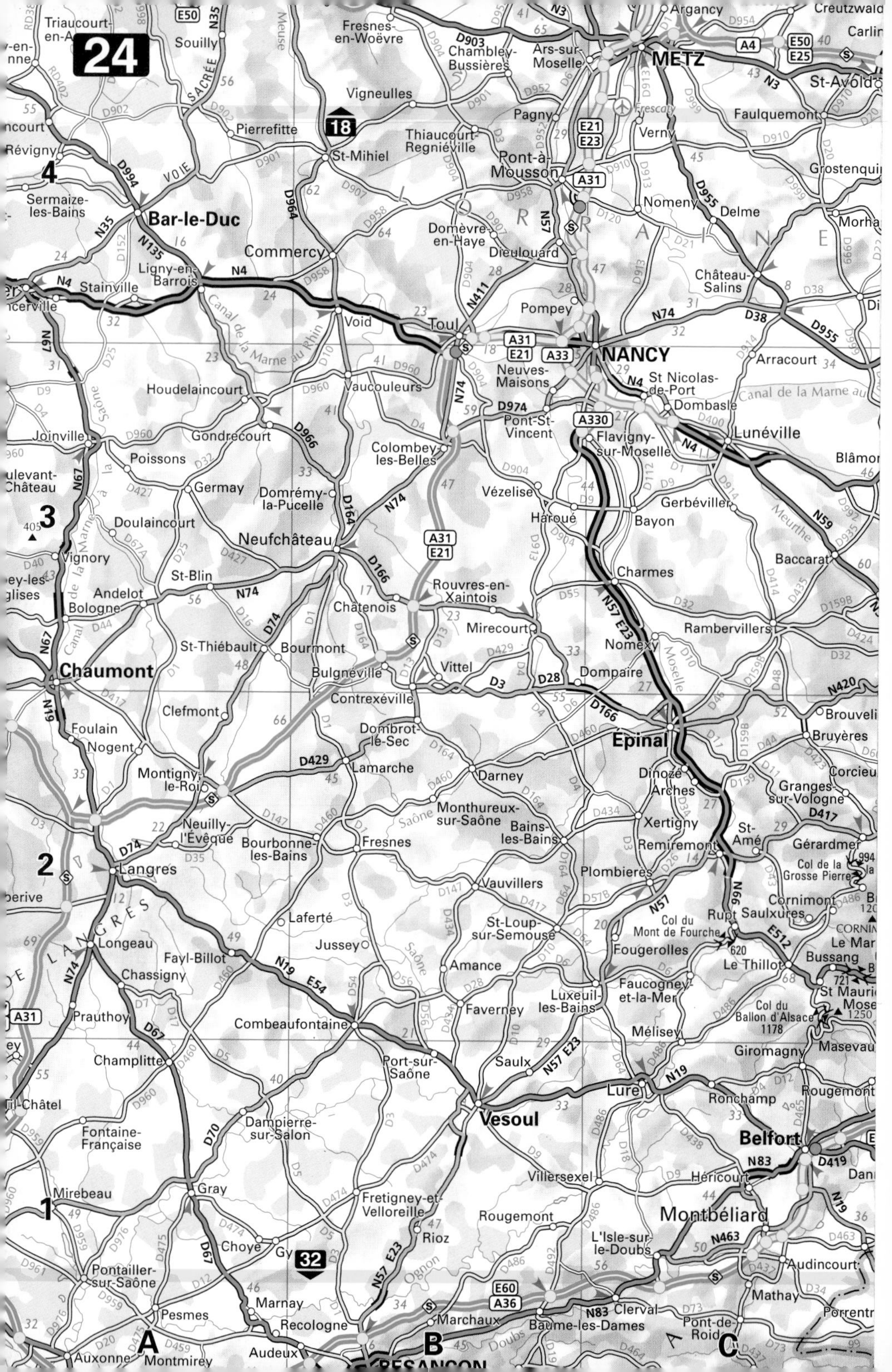

24
18
32
METZ
NANCY
Bar-le-Duc
Commercy
Toul
Pont-à-Mousson
St-Mihiel
Neufchâteau
Chaumont
Langres
Épinal
Vesoul
Lure
Belfort
Montbéliard
Lunéville
Mirecourt
Vittel
Contrexéville
Remiremont
Gray
Joinville
Ligny-en-Barrois
Vaucouleurs
Domrémy-la-Pucelle
Baccarat
Rambervillers
Charmes
Luxeuil-les-Bains
Plombières
Bourbonne-les-Bains
Champlitte
Baume-les-Dames
St-Avold
Château-Salins

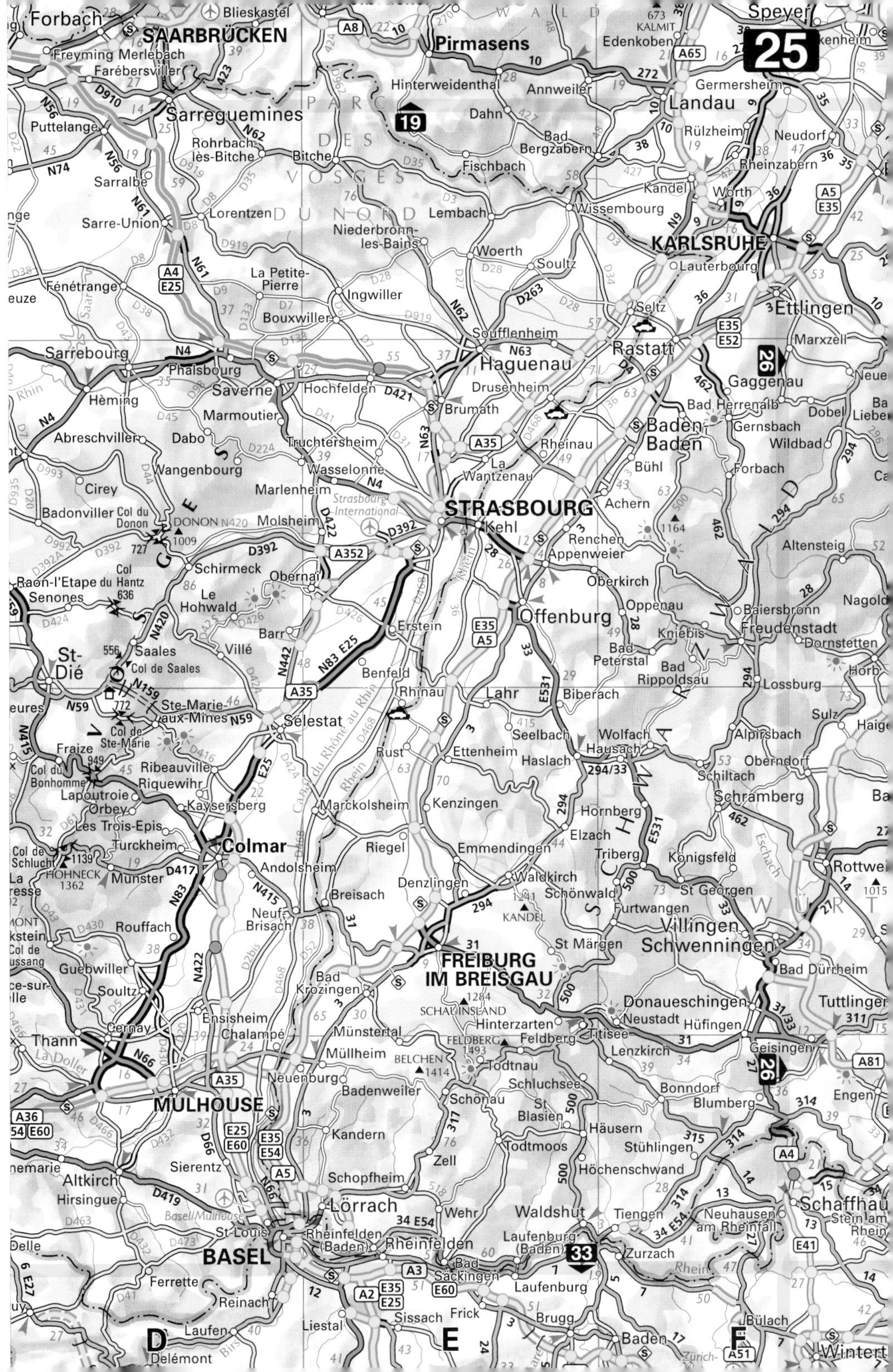

25
Forbach
Blieskastel
SAARBRÜCKEN
Pirmasens
Edenkoben
KALMIT
Speyer
Freyming Merlebach
Farébersviller
Hinterweidenthal
Annweiler
Germersheim
Sarreguemines
Landau
Puttelange
Dahn
19
Rülzheim
Neudorf
Rohrbach-lès-Bitche
Bitche
Bad Bergzabern
Rheinzabern
Sarralbe
Fischbach
Kandel
Wörth
PARC DES VOSGES DU NORD
Sarre-Union
Lorentzen
Lembach
Wissembourg
Niederbronn-les-Bains
KARLSRUHE
Woerth
Soultz
Lauterbourg
La Petite-Pierre
Fénétrange
Ingwiller
Seltz
Ettlingen
Bouxwiller
Soufflenheim
Rastatt
Marxzell
Sarrebourg
Phalsbourg
Haguenau
26
Gaggenau
Saverne
Hochfelden
Drusenheim
Hèming
Bad Herrenalb
Dobel
Marmoutier
Brumath
Baden-Baden
Gernsbach
Abreschviller
Dabo
Truchtersheim
Rheinau
Wildbad
La Wantzenau
Wangenbourg
Wasselonne
Bühl
Forbach
Cirey
Marlenheim
Strasbourg International
STRASBOURG
Achern
Badonviller
Col du Donon
DONON
Molsheim
Kehl
1009
Renchen
1164
Schirmeck
Appenweier
Altensteig
Raon-l'Etape
Col du Hantz
Obernai
Oberkirch
Senones
Le Hohwald
Offenburg
Oppenau
Baiersbronn
Nagold
Erstein
Freudenstadt
St-Dié
Saales
Barr
Villé
Kniebis
Dornstetten
Col de Saales
Benfeld
Bad Peterstal
Bad Rippoldsau
Horb
Rhinau
Lahr
Biberach
Lossburg
Ste-Marie-aux-Mines
Sélestat
Col de Ste-Marie
Seelbach
Wolfach
Sulz
Fraize
Rust
Hausach
Alpirsbach
Col du Bonhomme
Ribeauvillé
Ettenheim
Haslach
Oberndorf
Riquewihr
Schiltach
Lapoutroie
Kaysersberg
Marckolsheim
Kenzingen
Schramberg
Orbey
Les Trois-Epis
Hornberg
Turckheim
Colmar
Riegel
Emmendingen
Elzach
Triberg
Königsfeld
Col de la Schlucht
HOHNECK
1362
Munster
Andolsheim
Rottweil
Waldkirch
Denzlingen
Breisach
Schönwald
St Georgen
1241
KANDEL
Furtwangen
Neuf-Brisach
Villingen-Schwenningen
Rouffach
FREIBURG IM BREISGAU
St Märgen
Guebwiller
Bad Dürrheim
Bad Krozingen
1284
SCHAUINSLAND
Donaueschingen
Soultz
Tuttlingen
Ensisheim
Neustadt
Hüfingen
Cernay
Münstertal
Hinterzarten
Titisee
Thann
Chalampé
FELDBERG
1493
Feldberg
Lenzkirch
Geisingen
Müllheim
BELCHEN
1414
Todtnau
Neuenburg
Schluchsee
Badenweiler
Bonndorf
Engen
MULHOUSE
Schönau
Blumberg
St Blasien
Kandern
Häusern
Stühlingen
Todtmoos
Zell
Altkirch
Sierentz
Höchenschwand
Schopfheim
Hirsingue
Lörrach
Basel/Mulhouse
Wehr
Waldshut
Tiengen
Neuhausen am Rheinfall
Schaffhausen
St-Louis
Rheinfelden (Baden)
Rheinfelden
Laufenburg (Baden)
33
Zurzach
Delle
BASEL
Bad Säckingen
Laufenburg
Ferrette
Reinach
Liestal
Sissach
Frick
Brugg
Bülach
Laufen
Baden
Delémont
Winterthur
D
E
F

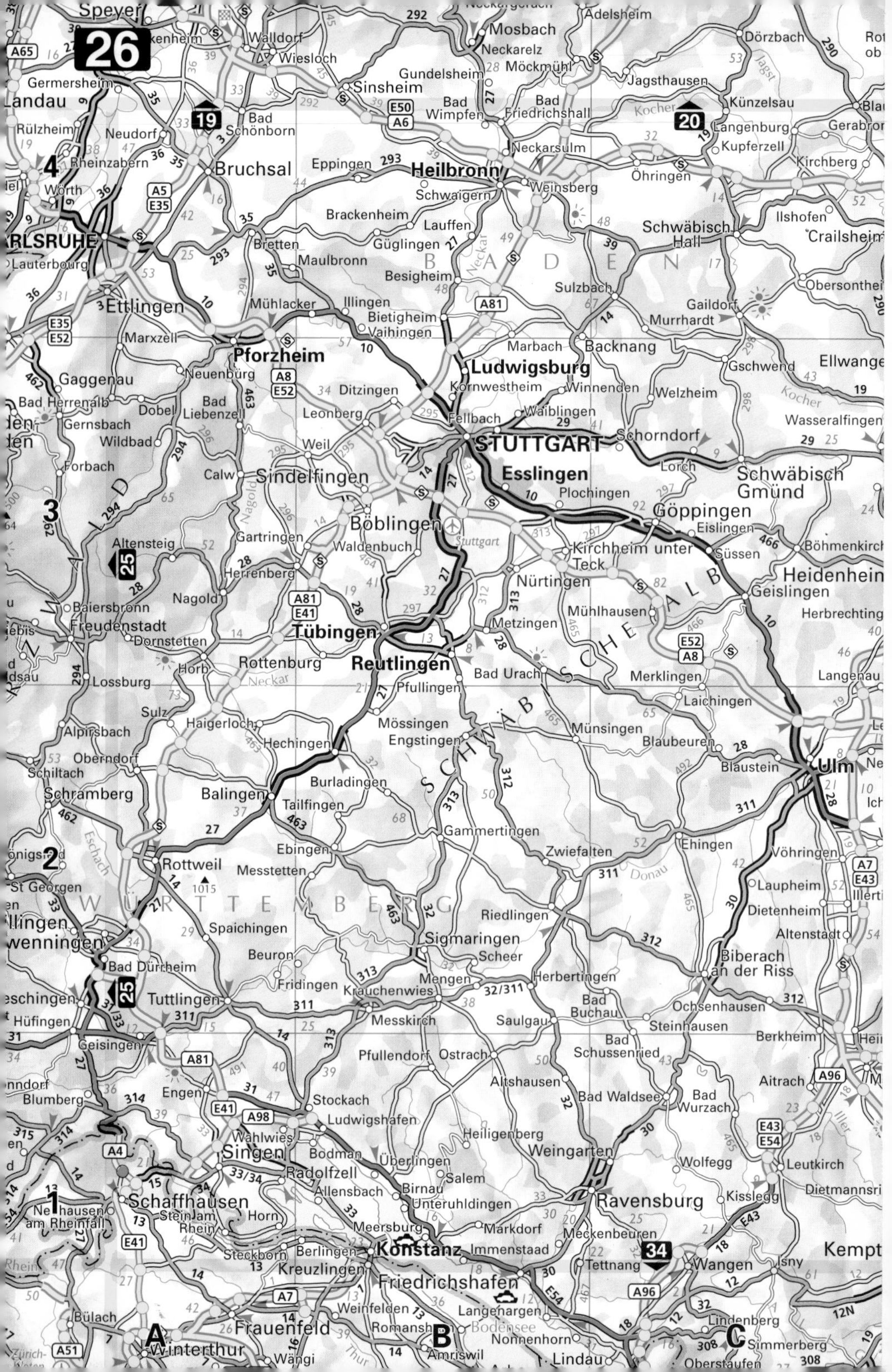

26
Speyer
Walldorf
Wiesloch
Mosbach
Neckarelz
Adelsheim
Dörzbach
Germersheim
Landau
Sinsheim
Gundelsheim
Möckmühl
Jagsthausen
Künzelsau
Rülzheim
Neudorf
Bad Schönborn
19
Bad Wimpfen
Bad Friedrichshall
Kocher
20
Langenburg
Gerabronn
Rheinzabern
Neckarsulm
Kupferzell
Kirchberg
Bruchsal
Eppingen
Heilbronn
Weinsberg
Öhringen
Wörth
Schwaigern
Brackenheim
Lauffen
Schwäbisch Hall
Ilshofen
Crailsheim
KARLSRUHE
Bretten
Güglingen
Lauterbourg
Maulbronn
BADEN
Besigheim
Sulzbach
Obersontheim
Ettlingen
Mühlacker
Illingen
Bietigheim
Vaihingen
Murrhardt
Gaildorf
Marxzell
Pforzheim
Marbach
Backnang
Gschwend
Ellwangen
Gaggenau
Neuenbürg
Ludwigsburg
Kornwestheim
Winnenden
Welzheim
Bad Herrenalb
Dobel
Bad Liebenzell
Ditzingen
Leonberg
Fellbach
Waiblingen
Wasseralfingen
Gernsbach
Wildbad
Weil
STUTTGART
Schorndorf
Forbach
Calw
Sindelfingen
Esslingen
Lorch
Schwäbisch Gmünd
Plochingen
Göppingen
Böblingen
Eislingen
Gartringen
Waldenbuch
Stuttgart
Kirchheim unter Teck
Süssen
Böhmenkirch
Altensteig
25
Herrenberg
Nürtingen
Heidenheim
Geislingen
Nagold
Baiersbronn
Mühlhausen
Herbrechtingen
Freudenstadt
Dornstetten
Tübingen
Metzingen
Rottenburg
Reutlingen
Bad Urach
Merklingen
Langenau
Horb
Neckar
Lossburg
Pfullingen
Laichingen
Sulz
Haigerloch
Mössingen
Engstingen
Münsingen
Alpirsbach
Hechingen
Blaubeuren
Oberndorf
Blaustein
Ulm
Schiltach
Burladingen
Schramberg
Balingen
Tailfingen
SCHWÄBISCHE ALB
Gammertingen
Ebingen
Zwiefalten
Ehingen
Rottweil
Messtetten
Vöhringen
St Georgen
Donau
Laupheim
WÜRTTEMBERG
Riedlingen
Dietenheim
Spaichingen
Sigmaringen
Altenstadt
Beuron
Scheer
Biberach an der Riss
Bad Dürrheim
Fridingen
Mengen
Herbertingen
Tuttlingen
Krauchenwies
Bad Buchau
Ochsenhausen
Hüfingen
Messkirch
Saulgau
Steinhausen
Geisingen
Bad Schussenried
Berkheim
Pfullendorf
Ostrach
Blumberg
Engen
Altshausen
Aitrach
Stockach
Bad Waldsee
Bad Wurzach
Ludwigshafen
Heiligenberg
Singen
Bodman
Überlingen
Weingarten
Wolfegg
Leutkirch
Radolfzell
Salem
Allensbach
Birnau
Kisslegg
Dietmannsried
Schaffhausen
Unteruhldingen
Ravensburg
Neuhausen am Rheinfall
Stein am Rhein
Horn
Meersburg
Markdorf
Meckenbeuren
Steckborn
Berlingen
Konstanz
Immenstaad
34
Kempten
Kreuzlingen
Tettnang
Wangen
Isny
Rhein
Friedrichshafen
Weinfelden
Langenargen
Bülach
Frauenfeld
Romanshorn
Bodensee
Nonnenhorn
Lindenberg
A
B
C
Winterthur
Wängi
Amriswil
Lindau
Simmerberg
Oberstaufen
Thur
Iller
Jagst
1015
1
2
3
4
A5
E35
A6
E50
A8
E52
A81
E41
A7
E43
A96
A98
A4
E54
A51
A65

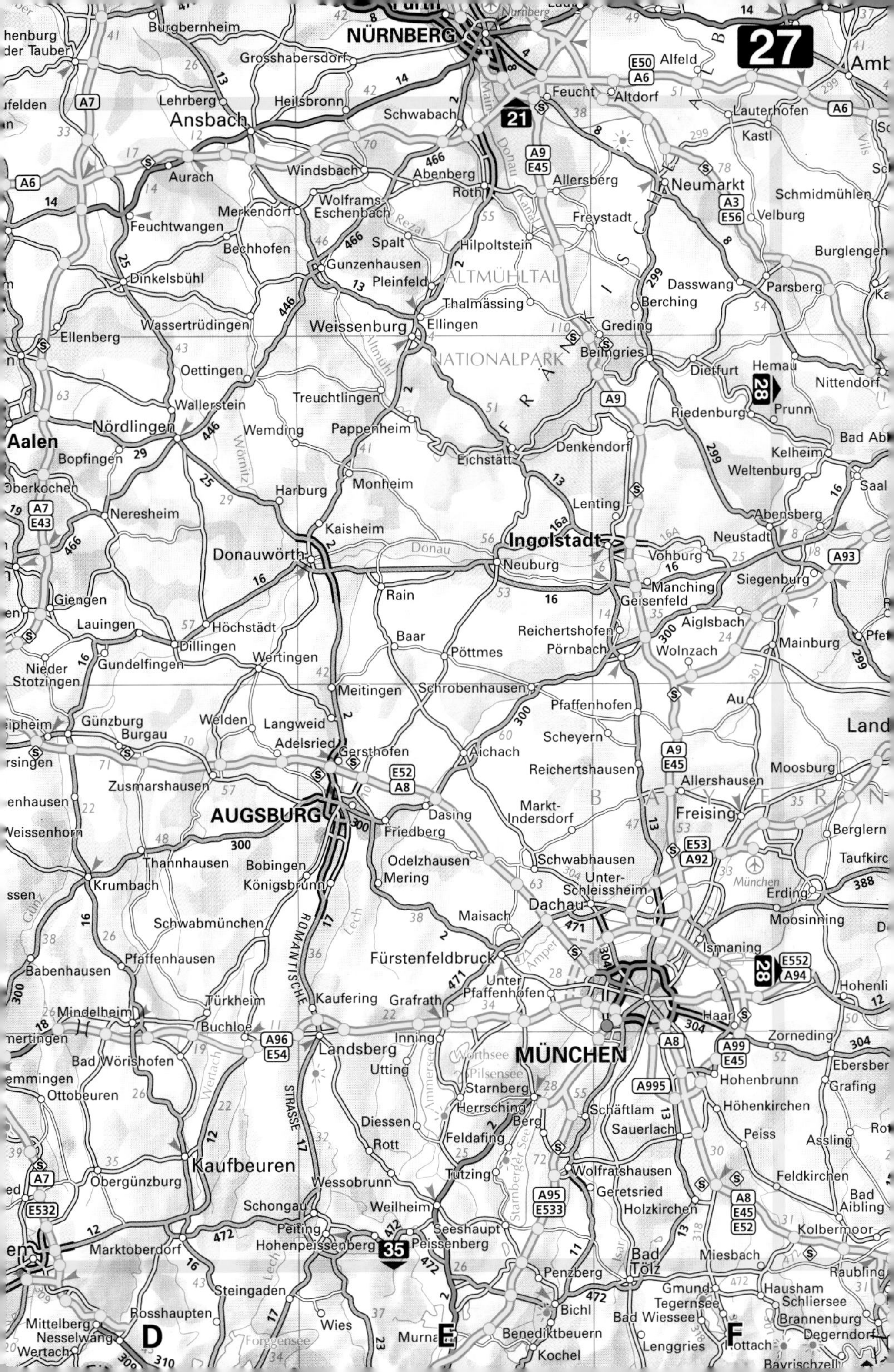

27
NÜRNBERG
Burgbernheim
Grosshabersdorf
Lehrberg
Heilsbronn
Schwabach
Feucht
Altdorf
Alfeld
Amb
Ansbach
Aurach
Windsbach
Abenberg
Roth
Allersberg
Neumarkt
Lauterhofen
Kastl
Schmidmühlen
Velburg
Merkendorf
Wolframs-Eschenbach
Feuchtwangen
Freystadt
Spalt
Bechhofen
Hilpoltstein
Burglengen
Gunzenhausen
Pleinfeld
ALTMÜHLTAL
Dinkelsbühl
Dasswang
Parsberg
Berching
Thalmässing
Weissenburg
Ellingen
Wassertrüdingen
Greding
Ellenberg
Beilngries
NATIONALPARK
Dietfurt
Hemau
Nittendorf
Oettingen
Treuchtlingen
Riedenburg
Prunn
Wallerstein
Nördlingen
Aalen
Wemding
Pappenheim
Denkendorf
Bad Abb
Bopfingen
Eichstätt
Kelheim
Weltenburg
Monheim
Oberkochen
Harburg
Lenting
Saal
Neresheim
Kaisheim
Abensberg
Ingolstadt
Neustadt
Donauwörth
Neuburg
Vohburg
Siegenburg
Manching
Rain
Geisenfeld
Giengen
Lauingen
Höchstädt
Reichertshofen
Aiglsbach
Baar
Pörnbach
Wolnzach
Mainburg
Dillingen
Pöttmes
Gundelfingen
Wertingen
Nieder Stotzingen
Meitingen
Schrobenhausen
Au
Pfaffenhofen
Günzburg
Welden
Langweid
Burgau
Adelsried
Scheyern
Gersthofen
Aichach
Reichertshausen
Zusmarshausen
Moosburg
Allershausen
AUGSBURG
Dasing
Markt-Indersdorf
Freising
Friedberg
Berglern
Weissenhorn
Thannhausen
Bobingen
Odelzhausen
Schwabhausen
Mering
Königsbrunn
Unter-Schleissheim
Krumbach
Erding
Dachau
Maisach
Moosinning
Schwabmünchen
Ismaning
Fürstenfeldbruck
Babenhausen
Pfaffenhausen
Unter-Pfaffenhofen
Türkheim
Kaufering
Grafrath
Mindelheim
Buchloe
Haar
Landsberg
Inning
Zorneding
MÜNCHEN
Bad Wörishofen
Wörthsee
Ebersberg
Utting
Pilsensee
Hohenbrunn
Ottobeuren
Starnberg
Grafing
Herrsching
Schäftlam
Höhenkirchen
Diessen
Berg
Sauerlach
Feldafing
Peiss
Assling
Rott
Kaufbeuren
Tutzing
Wolfratshausen
Feldkirchen
Obergünzburg
Wessobrunn
Geretsried
Bad Aibling
Schongau
Weilheim
Holzkirchen
Peiting
Seeshaupt
Kolbermoor
Hohenpeissenberg
Peissenberg
Marktoberdorf
Bad Tölz
Miesbach
Penzberg
Raubling
Gmund
Hausham
Steingaden
Tegernsee
Schliersee
Bichl
Rosshaupten
Bad Wiessee
Brannenburg
Mittelberg
Wies
Benediktbeuern
Degerndorf
Nesselwang
Murnau
Rottach
Wertach
Forggensee
Lenggries
Kochel
Bayrischzell
D
E
F
ROMANTISCHE STRASSE
Donau
Main-Donau-Kanal
Altmühl
Wörnitz
Lech
Amper
Isar
Ammersee
Starnberger See
BAYERN
FRÄNKISCHE ALB
A6
A7
A9
A3
A8
A92
A93
A95
A96
A99
A995
E43
E45
E50
E52
E53
E54
E56
E532
E533
E552
A94
21
28
35

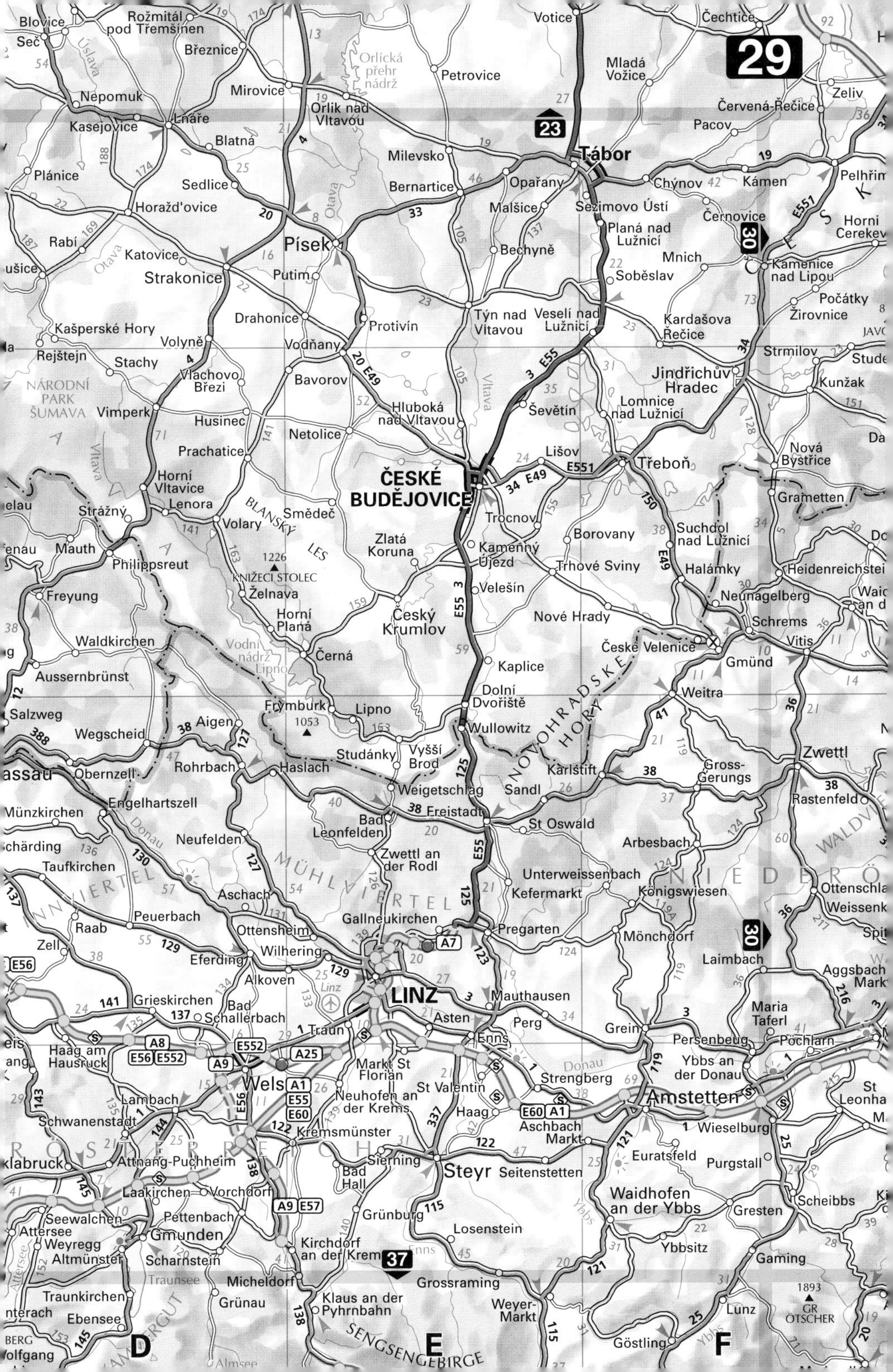
29
Blovice
Rožmitál pod Třemšínem
Votice
Čechtice
Březnice
Orlická přehr nádrž
Petrovice
Mladá Vožice
Nepomuk
Mirovice
Orlik nad Vltavou
Zeliv
Červená-Řečice
Kasejovice
Lnáře
Pacov
23
Blatná
Milevsko
Tábor
Plánice
Sedlice
Bernartice
Opařany
Chýnov
Kámen
Pelhřim
Horažd'ovice
Malšice
Sezimovo Ústí
Černovice
Horní Cerekev
Rabí
Písek
Planá nad Lužnicí
Katovice
Bechyně
Mnich
Strakonice
Putim
Soběslav
Kamenice nad Lipou
30
Počátky
Žirovnice
Drahonice
Týn nad Vltavou
Veselí nad Lužnicí
Kardašova Řečice
Protivín
Kašperské Hory
Volyně
Vodňany
Rejštejn
Stachy
Strmilov
Vlachovo Březi
Bavorov
Jindřichův Hradec
Kunžak
NÁRODNÍ PARK ŠUMAVA
Vimperk
Hluboká nad Vltavou
Ševětín
Lomnice nad Lužnicí
Husinec
Netolice
Prachatice
Lišov
Třeboň
Nová Bystřice
Horní Vltavice
ČESKÉ BUDĚJOVICE
Lenora
Grametten
Strážný
BLANSKÝ LES
Smědeč
Trocnov
Volary
Borovany
Suchdol nad Lužnicí
Mauth
Philippsreut
Zlatá Koruna
Kamenný Újezd
Trhové Sviny
Halámky
Heidenreichstei
1226
KNÍŽECÍ STOLEC
Freyung
Želnava
Velešín
Neunagelberg
Horní Planá
Český Krumlov
Nové Hrady
Schrems
Waldkirchen
Vodní nádrž Lipno
České Velenice
Vitis
Černá
Kaplice
Gmünd
Aussernbrünst
NOVOHRADSKÉ HORY
Frymburk
Lipno
Dolní Dvořiště
Weitra
Salzweg
1053
Aigen
Wullowitz
Wegscheid
Studánky
Vyšší Brod
Zwettl
Obernzell
Rohrbach
Haslach
Karlstift
Gross-Gerungs
Sandl
Weigetschlag
Rastenfeld
Engelhartszell
Freistadt
Münzkirchen
Bad Leonfelden
St Oswald
Neufelden
Arbesbach
Schärding
Zwettl an der Rodl
MÜHLVIERTEL
Taufkirchen
Unterweissenbach
NIEDERÖ
Ottenschla
INNVIERTEL
Aschach
Kefermarkt
Königswiesen
Weissenk
Peuerbach
Gallneukirchen
Raab
Ottensheim
Pregarten
Spit
Zell
Wilhering
Mönchdorf
Laimbach
Eferding
Aggsbach Markt
Alkoven
LINZ
Mauthausen
Grieskirchen
Bad Schallerbach
Maria Taferl
Traun
Asten
Perg
Grein
Haag am Hausruck
Enns
Persenbeug
Pöchlarn
Markt St Florian
Donau
Ybbs an der Donau
Wels
Strengberg
Lambach
St Valentin
Amstetten
Neuhofen an der Krems
St Leonha
Schwanenstadt
Haag
Aschbach Markt
Wieselburg
Kremsmünster
Euratsfeld
ÖSTERREICH
Vöcklabruck
Attnang-Puchheim
Sierning
Steyr
Seitenstetten
Purgstall
Bad Hall
Laakirchen
Vorchdorf
Waidhofen an der Ybbs
Gresten
Scheibbs
Seewalchen
Pettenbach
Grünburg
Attersee
Weyregg
Gmunden
Losenstein
Ybbsitz
Altmünster
Scharnstein
Kirchdorf an der Krems
37
Gaming
Traunsee
Micheldorf
Grossraming
Traunkirchen
Grünau
Klaus an der Pyhrnbahn
Weyer-Markt
1893
GR ÖTSCHER
Lunz
Ebensee
SENGSENGEBIRGE
Göstling
D
E
F
Almsee
E55
E49
E551
E60
E56
E552
A1
A7
A8
A9
A25
E57

30
Čechtice
Havlíčkův Brod
Jimramov
Brněnec
Jevíčko
DEVET SKAL
Nové Město na Moravě
Přibyslav
Humpolec
Letovice
Želiv
Štoky
Žďár nad Sázavou
Červená Řečice
Pacov
23
Bystřice nad Pernštejnem
Kunštát
Bohdalov
E50
E65
D1
Chýnov
Kámen
Pelhřimov
Černá Hora
Ústí
Jihlava
Měřín
Křižanov
Černovice
Horní Cerekev
Velké Meziříčí
Tišnov
Mnich
Batelov
Brtnice
Velká Bíteš
Kamenice nad Lipou
Třeštice
Stonařov
Kuřim
Počátky
Žirovnice
837
JAVORICE
Třebíč
Kardašova Řečice
Svratka
Svitava
Strmilov
Studená
Telč
Náměšť nad Oslavou
Jindřichův Hradec
Želetava
Rosice
Kunžak
Oslava
Jihlava
Ivančice
29
Jaroměřice nad Rokytnou
Hrotovice
D2
E65
Dačice
Moravské Budějovice
Židlochovice
Třeboň
Nová Bystřice
Jemnice
Moravský Krumlov
Pravlov
Velké
Grametten
Slavonice
Dešov
Branišovice
Pohořelice
Suchdol nad Lužnicí
Dobersberg
Bítov
Jevišovice
Hustopeče
Štítary
Halámky
Heidenreichstein
Raabs an der Thaya
Drosendorf Stadt
Lechovice
Drnholec
Neunagelberg
Waidhofen an der Thaya
Hardegg
Znojmo
Dyje
Schrems
Geras
Hrušovany
Velenice
Vitis
Gross-Siegharts
Hatě
Hrádek
Mikulov
Gmünd
Retz
Drasenhofen
Weitra
Göpfritz
Pulkau
Kleinhaugsdorf
Hevlín
Laa an der Thaya
Horn
Eggenburg
Haugsdorf
Neupölla
Zwettl
Poysdorf
Gross-Gerungs
WALDVIERTEL
Gars am Kamp
WEINVIERTEL
Rastenfeld
Maissau
Hollabrunn
Mistelbach
Wilfersdorf
Gföhl
Ernstbrunn
Ziersdorf
Langenlois
NIEDERÖSTERREICH
Königswiesen
Ottenschlag
Krems
Weissenkirchen
Stockerau
Spitz
Dürnstein
WACHAU
Traismauer
Wolkersdorf
Laimbach
A22
E49
E59
Korneuburg
Aggsbach-Markt
Tulln
Gänserndorf
Aggsbach-Dorf
Herzogenburg
Klosterneuburg
Maria Taferl
WIEN
Deutsch-Wagram
Persenbeug
Pöchlarn
Melk
Loosdorf
St Pölten
Purkersdorf
Ybbs an der Donau
Neulengbach
Pressbaum
Amstetten
St Leonhard
A1
E60
Grossenzersdorf
Donau
Mank
Obergrafendorf
WIENERWALD
Perchtoldsdorf
Wieselburg
Schwechat
Fischamend
Purgstall
Wilhelmsburg
E60
A21
Mödling
A4
Traisen
Hainfeld
Alland
Gumpoldskirchen
Scheibbs
Kirchberg an der Pielach
Lilienfeld
Baden
Gresten
Bad Vöslau
Traiskirchen
Ybbsitz
1398
REISALPE
Pottenstein
Ebreichsdorf
Neusiedl
Gaming
Türnitz
Hohenberg
Berndorf
A3
38
Pernitz
A2
E59
Sollenau
Purbach
1893
GR ÖTSCHER
Annaberg
St Aegyd
Gutenstein
Ebenfurth
Lunz
Wöllersdorf
Wiener Neustadt
Eisenstadt
Ybbs
A
B
C
SCHNEEBERG
2076
Terz
Mariazell

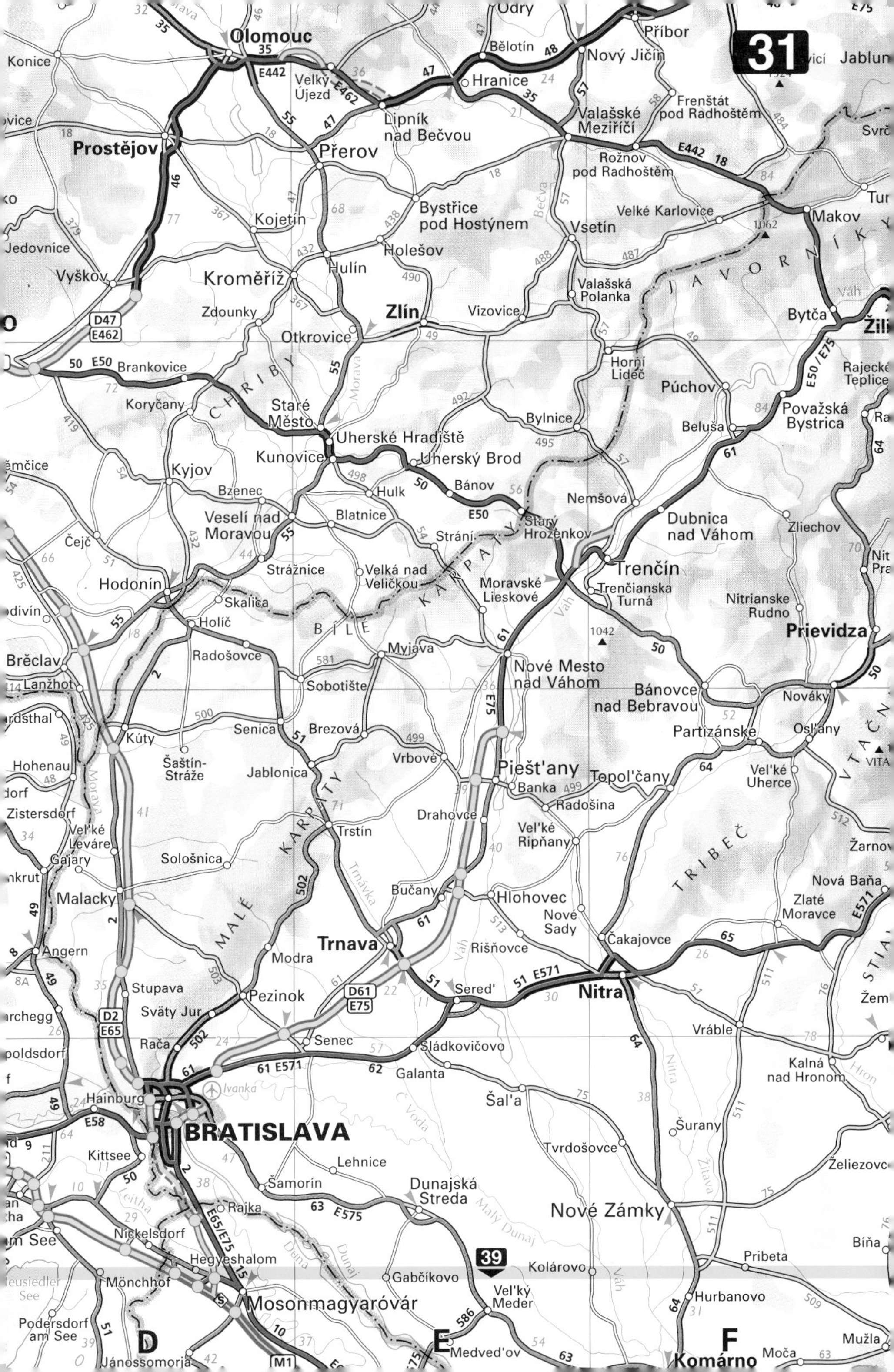
31
Olomouc
Odry
Příbor
Bělotín
Nový Jičín
Konice
Velký Újezd
Hranice
Frenštát pod Radhoštěm
Jablun
Prostějov
Lipník nad Bečvou
Valašské Meziříčí
Přerov
Rožnov pod Radhoštěm
Bystřice pod Hostýnem
Velké Karlovice
Kojetín
Vsetín
Makov
Jedovnice
Holešov
Hulín
Kroměříž
Vyškov
Valašská Polanka
JAVORNÍKY
Zdounky
Zlín
Vizovice
Bytča
Otkrovice
Žili
Brankovice
Horní Lideč
Rajecké Teplice
CHŘIBY
Púchov
Koryčany
Staré Město
Bylnice
Považská Bystrica
Uherské Hradiště
Beluša
Kunovice
Uherský Brod
Kyjov
Bzenec
Hulk
Bánov
Nemšova
Veselí nad Moravou
Blatnice
Starý Hrozenkov
Dubnica nad Váhom
Zliechov
Čejč
Strání
Hodonín
Strážnice
Velká nad Veličkou
Trenčín
Skalica
KARPATY
Moravské Lieskové
Trenčianska Turná
Nitrianske Rudno
Holíč
BÍLÉ
Prievidza
Břeclav
Radošovce
Myjava
Nové Mesto nad Váhom
Lanžhot
Sobotište
Bánovce nad Bebravou
Nováky
Senica
Brezová
Kúty
Partizánske
Oslany
Šaštín-Stráže
Vrbové
Hohenau
Jablonica
Piešt'any
Topol'čany
Vel'ké Uherce
Banka
Radošina
Zistersdorf
Drahovce
Vel'ké Leváre
Trstín
Vel'ké Ripňany
Gajary
Sološnica
TRIBEČ
Žarnov
Nová Baňa
Malacky
Bučany
Hlohovec
Zlaté Moravce
MALÉ KARPATY
Nové Sady
Angern
Trnava
Rišňovce
Čakajovce
Modra
Stupava
Pezinok
Sered'
Nitra
Svätý Jur
Vráble
Rača
Senec
Sládkovičovo
Kalná nad Hronom
Galanta
Ivanka
Hainburg
Šal'a
BRATISLAVA
Šurany
Kittsee
Tvrdošovce
Lehnice
Želiezovce
Šamorín
Dunajská Streda
Nové Zámky
Rajka
Nickelsdorf
Hegyeshalom
Pribeta
Bíňa
39
Kolárovo
Gabčíkovo
Mönchhof
Neusiedler See
Vel'ký Meder
Hurbanovo
Mosonmagyaróvár
Podersdorf am See
D
E
F
Mužla
Jánossomorja
Medved'ov
Komárno
Moča
Morava
Váh
Bečva
Dunaj
Malý Dunaj
Nitra
Žitava
Hron
Trnávka
Č. Voda
Leitha
E442
E462
E50
D47
E462
E75
E571
D61
E75
D2
E65
E58
E65/E75
E575
M1
E50/E75

32
Mirebeau
Gray
Fretigney-et-Velloreille
Villersexel
Héricourt
Montbéliard
Rougemont
Rioz
Choye
Gy
L'Isle-sur-le-Doubs
Audincourt
Pontailler-sur-Saône
24
Marnay
Pesmes
Recologne
Marchaux
Clerval
Baume-les-Dames
Mathay
Pont-de-Roide
4
Auxonne
Montmirey
Audeux
BESANÇON
Aïssey
St-Hippolyte
Rochefort-s-Nenon
Dampierre
Maîche
Dole
Tavaux
Quingey
Valdahon
Ornans
Le Russey
Chaussin
Amancey
Mouthier
St-Imier
Mont-s/s-Vaudrey
Mouchard
St-Gorgon-Main
Morteau
Villers-le-Lac
La Chaux-de-Fonds
MT CHAUMONT
1092
Le Locle
Salins
Levier
Montbenoît
Neuchâtel
LE CHASSERAL
Chaumergy
Arbois
Pontarlier
Boudry
Poligny
Sellières
La Cluse-et-Mijoux
Verrières-de-Joux
Travers
Couvet
Fleurier
Nozeroy
3
Murten
Malbuisson
Ste-Croix
Estavayer-le-Lac
Lac de Neuchâtel
Lons-le-Saunier
Champagnole
Jougne
Payerne
Metabief
Mouthe
Doucier
Les Planches-en-Montagne
Vallorbe
Orbe
Yverdon-les-Bains
Bonlieu
Pompaples
Moudon
Clairvaux-les-Lacs
St-Laurent-en-Grandvaux
Lac de Joux
Romont
Orgelet
Cuiseaux
1680
Cossonay
Echallens
Morez
Bulle
Lac de Vouglans
Moirans-en-Montagne
Les Rousses
LAUSANNE
Oron-la-Ville
Gruyère
Arinthod
La Cure
St-Cergue
Morges
Châtel-St-Denis
St-Claude
Rolle
Lac Léman
Château d'Oex
Col de la Faucille 1323
Mijoux
Nyon
Vevey
Dortan
Divonne
Yvoire
Amphion
Evian
Montreux
2
Oyonnax
Gex
Thonon
MONT COLOMBY DE GEX
1689
St-Gingolph
ROCHERS DE NAYE
2042
Col des Mosses
1445
Douvaine
2222
Leysin
Versoix
Genève
GENÈVE
La Cluse
Echallon
Abondance
Aigle
Col de la Pillon
1546
1778
Les Diablerets
St-Germain-de-Joux
Nantua
Châtel
1369
Villars
LES DIABLERETS
3210
Collonges
St-Julien-en-Genevois
Annemasse
Boëge
Pas de Morgins
Morgins
Monthey
Bex
Bellegarde-sur-Valserine
1827
MT CHÉRY
St-Jeoire
Morzine
St-Maurice
Reignier
1375
MT SALÈVE
Avoriaz
Champéry
Frangy
Cruseilles
Bonneville
Les Gets
Taninges
La Roche-sur-Foron
Cluses
Samoëns
Martigny
Seyssel
Col de la Colombière
1618
Flaine
Vallorcine
Col de la Forclaz 1527
GRAND COLOMBIER
1531
Annecy
3094
MT BUET
Col des Montets
1461
Orsières
Champex
Artemare
Rumilly
Veyrier
CHAÎNE DES ARAVIS
LE BRÉVENT
2526
Argentière
Culoz
Ruffieux
Sevrier
Menthon
Sallanches
La Clusaz
Chamonix-Mont-Blanc
Val d'Entremont
1
Belley
Albens
St-Jorioz
Talloires
Duingt
Col des Aravis 1498
MT CHARVIN
2407
Megève
St-Gervais-les-Bains
Les Houches
TUNNEL DU MONT-BLANC
Col du Grand-St-Bernard
2473
TUNNEL DU ST-BERNARD
Col de Leschaux
898
Flumet
Les Contamines-Montjoie
4807
MONT BLANC
Entrèves
Yenne
Aix-les-Bains
Faverges
Courmayeur
Ugine
Beaufort-sur-Doron
St-Genix-sur-Guiers
Le Bourget
1180
Col de Plainpalais
Le Châtelard
Albertville
Pré St-Didier
Morgex
A
B
C

33
34
25
BASEL
Lörrach
Rheinfelden
Altkirch
Sierentz
St-Louis
Schopfheim
Waldshut
Höchenschwand
Tiengen
Laufenburg
Zurzach
Bad Säckingen
Ferrette
Reinach
Laufen
Liestal
Sissach
Frick
Brugg
Baden
Delémont
Passwang
Balsthal
Moutier
Aarau
Olten
Aarburg
Lenzburg
Dietikon
ZÜRICH
Bülach
Winterthur
Elgg
Wohlen
Zofingen
Tavannes
Solothurn
Grenchen
Langenthal
Reinach
Beromünster
Muri
Thalwil
Horgen
Meilen
Wädenswil
Uster
Wetzikon
Pfäffikon
Büren
Sursee
Hochdorf
Cham
Zug
Lyss
Aarberg
Huttwil
Willisau
Burgdorf
Ruswil
Küssnacht
Arth
Einsiedeln
Kerzers
Sumiswald
Wolhusen
Luzern
BERN
Langnau im Emmental
Entlebuch
Horw
Weggis
Hergiswil
Stansstad
Vitznau
Brunnen
Schwyz
Laupen
Köniz
Worb
Belp
Grosshöchstetten
Schüpfheim
PILATUS 2129
Beckenried
Düdingen
Münsingen
Stans
Sarnen
SEELISBERG TUNNEL
Flüelen
Altdorf
Thun
Hilterfingen
Oberhofen
Gunten
Gwatt
Spiez
Merligen
BRIENZER ROTHORN 2350
Brienz
Lungern
Brünigpass 1007
Engelberg
TITLIS 3239
Klausenpass 1948
Interlaken
Meiringen
Innertkirchen
Sustenpass 2224
Amsteg
Gurtnellen
Wassen
TÖDI 3614
Boltigen
Faulensee
Leissigen
Därligen
SCHYNIGE PLATTE 2101
SIMMENTAL
NIESEN 2362
Jaunpass 1509
Frutigen
Kiental
Grindelwald
Guttannen
Handegg
Göschenen
Oberalppass 2044
Disentis/Muster
Sedrun
Zweisimmen
Wengen
EIGER 3970
Hospental
Andermatt
Realp
PIZ MEDEL 3211
Gstaad
Lauterbrunnen
Mürren
Adelboden
JUNGFRAU 4158
FINSTERAARHORN 4274
Grimselpass 2164
Furkapass 2431
Gletsch
GOTTHARD TUNNEL
Lukmanier Pass/Pso del Lucomagno 1916
Lenk
Kandersteg
Stechelberg
Oberwald
St Gotthard Pass 2108
Airolo
Olivone
Münster
WILDSTRUBEL 3253
LÖTSCHBERG-TUNNEL
ALETSCHHORN 4195
Nufenenpass 2478
Piotta
Faido
Gsteig
WILDHORN 3248
Leukerbad
Fiesch
Formazza
Montana
Crans
Leuk
Goppenstein
Raron
Brig
Rhone
Giornico
Sion
Sierre
Visp
Sonogno
Biasca
Bignasco
St-Luc
Stalden
Val d'Anniviers
Val d'Hérens
Simplonpass 2005
Grächen
St Niklaus
Simplon Dorf
Iselle
Evolène
Zinal
Saastal
Locarno
Les Haudères
WEISSHORN 4505
Saas-Fee
Santa Maria Maggiore
Ascona
Domodóssola
Täsch
DENT BLANCHE 4357
DOM 4545
Brissago
Arolla
Zermatt
Mauvoisin
MATTERHORN/MONTE CERVINO 4478
Cannóbio
Cánnero Riviera
Macugnaga
MONTE ROSA 4633
Breuil-Cervinia
Luino
Gandria
Lugano
Valtournenche
Intra
Ponte Tresa
Alagna-Valsésia
Gravellona Toce
Verbania-Pallanza
Champoluc
Omegna
Baveno
CAMPO DEI FIORI
Porlezza
Argegno
Gressoney-
Balmúccia
Stresa
Lago Maggiore
D
E
F

34
Radolfzell
Überlingen
Salem
Allensbach
Birnau
Unteruhldingen
Schaffhausen
Stein am Rhein
Horn
Neuhausen am Rhein
Meersburg
Markdorf
Konstanz
Immenstaad
Steckborn
Berlingen
Kreuzlingen
Friedrichshafen
26
Wolfegg
Leutkirch
Dietmanns
Ravensburg
Kisslegg
Meckenbeuren
Tettnang
Wangen
Isny
Kemp
A96
Langenargen
Bodensee
Nonnenhorn
Lindau
Lindenberg
Simmerberg
Oberstaufen
Immenstadt
Sonthofen
Balderschwa
Fischen
PFÄNDER-TUNNEL
BREGENZERWALD
Bregenz
Dornbirn
Egg
Bezau
Hohenems
Lustenau
Altstätten
Teufen
St Gallen
Gossau
Herisau
Appenzell
Urnäsch
Oberriet
Götzis
Rankweil
Schoppernau
Hochtannberg Pass
Baad
Riezl
Hirsche
Mittelber
KLEINWALSERTAL
Warth
Schröcken
1680
Lech
Zürs
Flexen Pass
1784
Stuben
Langen
Klösterle
VORARLBERG
Feldkirch
Nendeln
Schaan
Vaduz
Bludenz
Brand
MONTAFON
Schruns
St Gallenkirch
Gaschurn
Partenen
Gargellen
Bielerhöhe
2032
Galtür
Ischgl
ARLBERG TUNNEL
Arlberg Pass
1802
St Christ
3403
FLUCHTHORN
3312
PIZ BUIN
PAZN
Trisanna
Frauenfeld
Weinfelden
Romanshorn
Amriswil
Arbon
Rorschach
Bülach
Zürich-Kloten
Winterthur
Wängi
Wil
Elgg
Sirnach
Pfäffikon
Uster
Wetzikon
Wald
Rüti
Rapperswil
Wattwil
Thur
Thalwil
Meilen
Horgen
Wädenswil
Pfäffikon
RICH
Zug
Küssnacht
Arth
Vitznau
Brunnen
Beckenried
Schwyz
Einsiedeln
Säntis
2502
Unterwasser
Wildhaus
Gams
Buchs
Weesen
Walenstadt
Näfels
Glarus
Flums
Sargans
Maienfeld
2964
Bad Ragaz
Landquart
Grüsch
Küblis
Zizers
2914
GLÄRNISCH
Schwanden
Flüelen
Altdorf
Linthal
Klausenpass
1948
3056
PIZ SARDONA
Amsteg
Gurtnellen
3614
TÖDI
Flims Waldhaus
Ilanz
Bonaduz
Chur
Klosters
Landquart
Davos
Arosa
Parpan
Valbella
Lenzerheide
1549
Lenzerheide
Rhein
Valserrhein
Reuss
Oberalppass
2044
Disentis/Mustér
Sedrun
Andermatt
GOTTHARD TUNNEL
Airolo
Piotta
Faido
PIZ MEDEL
3211
Lukmanier Pass/ Pso del Lucomagno
1916
Olivone
Vals
Thusis
Tiefencastel
Savognin
Bergün
Albulapass
2315
Flüelapass
2383
Susch
ENGADIN
Ardez
Scuol
Tarasp
Zernez
Zuoz
Ofen Pass/ Pass dal Fuorn
2149
MUNT LA SCHERA TUNNEL
NATIONALPARK
La Punt
Samedan
Celerina
St Moritz
Pontresina
Livigno
Passo d'Eira
2200
Passo di Foscagno
2291
Bórmio
Umbra
Hinterrhein
Splügen
Splügenpass
2113
RHEINWALDHORN
3402
SAN BERNARDINO-TUNNEL
Passo del San Bernardino
2066
San Bernardino
Cresta
Madésimo
Julierpass
2284
Silvaplana
Sils-Maria
Malojapass
1815
Maloja
Passo del Bernina
2330
Forcola di Livigno
2315
Giornico
Sonogno
Biasca
Mesocco
Brenno
Maggia
4049
PIZ BERNINA
Chiavenna
Poschiavo
Sóndalo
Grósio
Bagni del Másino
3678
M DISGRAZIA
Chiesa in Valmalenco
Campocologno
Locarno
Ascona
Bellinzona
Gravedona
Colico
Morbegno
Sondrio
Adda
Tirano
Tresenda
Aprica
Passo dell' Aprica
1181
Édolo
ALPI ORÓBIE
2116
GAZZIROLA
Luino
Lago Maggiore
Ponte Tresa
Lugano
Gandria
Menaggio
Tremezzo
Lenno
Argegno
Cadenabbia
Bellagio
Bellano
Varenna
Lago di Como
Fóppolo
Passo del Vivione
1828
Schilpário
Capo di Ponte
Pallanza
Morcote
CAMPO DEI FIORI
Barzio
Branzi
Passo della
A
B
C
1
2
3
4
33
SS36
SS37
SS38
SS39
SS42
SS340
SS340 dir
SS470
SS583
SS404
A1
A2
A3
A4
A7
A13
A14
A51
A53
E35
E41
E43
E54
E60
S16

35
27
36
Kaufbeuren
Obergünzburg
Wessobrunn
Tutzing
Wolfratshausen
Geretsried
Feldkirchen
Bad Aibling
Schongau
Weilheim
Holzkirchen
Kolbermoor
Marktoberdorf
Peiting
Hohenpeissenberg
Seeshaupt
Peissenberg
Starnberger See
Bad Tölz
Miesbach
Raubling
Steingaden
Penzberg
Gmund
Hausham
Schliersee
Tegernsee
Bichl
Bad Wiessee
Brannenburg
Rosshaupten
Wies
Murnau
Benediktbeuern
Degerndorf
Mittelberg
Nesselwang
Forggensee
Lenggries
Rottach
Wertach
Kochel
Bayrischzell
Pfronten
Füssen
Oberammergau
Eschenlohe
Walchensee
Kreuth
Oberaudorf
Oberjoch
Hohenschwangau
Kiefersfelden
Linderhof
Achen Pass
Hindelang
Haldensee
Oberau
Thiersee
Reutte
Garmisch Partenkirchen
Vorderriss
Tannheim
BAYERISCHE ALPEN
Achenkirch
Weissenbach
Plansee
Krün
Brandenberg
Mittenwald
Heiterwang
Achensee
Pertisau
Berwang
ZUGSPITZE
Rattenberg
Wörgl
Lermoos
Ehrwald
Leutasch
Fern Pass 1209
Scharnitz
Jenbach
Brixlegg
Pfafflar
Seefeld in Tyrol
KARWENDELGEBIRGE
Alpbach
Auffach
Holzleitensattel 1126
Nassereith
Telfs
Fügen
Holzgau
Hall in Tirol
Schwaz
Obsteig
Kranebitten
Imst
Zirl
Wattens
Silz
Stams
Volders
ÖTZTALER ALPEN
PERJEN-TUNNEL
Kühtai
INNSBRUCK
Zell am Ziller
Gerlos
Arzl
Oetz
Igls
Gries in Sellrain
Landeck
Wenns
Patsch
TIROL
Gerlos Pass 1628
STUBAIER ALPEN
Mieders
Schönberg
Umhausen
Matrei am Brenner
Mayrhofen
Fulpmes
Kauns
Neustift
Steinach
Hintertux
Serfaus
Ried
Längenfeld
PITZTAL
ÖTZTAL
STUBAITAL
Gschnitz
Dornauberg
Mittelberg
Ranalt
Gries-am-Brenner
Predoi/Prettau
Pfunds
Sölden
Brenner Pass 1374
ZILLERTALER ALPEN
Timmelsjoch/Passo del Rombo 2509
Colle Isarco/Gossensass
3510
GRAN PILASTRO
Nauders
3774
WILDSPITZE
Vipiteno/Sterzing
Reschen-Pass/Passo di Résia 1504
Obergurgl
Passo di Monte Giovo/Jaufen Pass 2094
Campo Túres/Sand in Taufers
Anterselva/Antholz
San Valentino alla Muta
San Leonardo in Passiria
Passo di Pénnes 2215
Brunico/Bruneck
Mälles Venosta/Mals im Vinschgau
SARNTALER ALPEN
Monguelfo/Welsberg
Sluderno/Schluderns
Bressanone/Brixen
Dobbiaco/Toblach
Müstair
Naturno/Naturns
Merano/Meran
Marebbe/St Vigil
Silandro/Schlanders
Sarentino/Sarntal
Chiusa/Klausen
Pedráces/Pedratsches
Carbonin/Schludersbach
Trafoi
Lana
Ortisei/St Ulrich
Selva di Val Gardena/Wolkenstein in Gardena
Passo dello Stélvio 2757
Solda/Sulden
BOLZANO/BOZEN
Passo di Gardena 2121
Corvara in Badia
Passo delle Palade 1512
Sta Cristina/St Christina
Siusi
Passo di Falzárego 2117
Cortina d'Ampezzo
Tre Croci 1809
Appiano/Eppan
Passo di Sella 2240
Passo di Campolongo
Santa Caterina Valfurva
Fondo
Nova Levante/Welschnofen
Canazei
Arabba
Passo Pordoi
San Vito di Cadore
Passo di Costalunga 1753
DOLOMITI
3342
M. MARMOLADA
Pejo
Passo della Méndola 1363
Cles
Ora/Auer
Moena
Falcade
Alleghe
Forcella Staulanza 1773
Dimaro
Malé
Passo del Tonale 1883
Passo di San Pellegrino 1918
Cencenighe
Campo Carlo Magno 1682
Predazzo
Passo Duran 1601
Forno di Zoldo
Cavalese
Passo di Rolle 1970
Agordo
Madonna di Campiglio
TRENTINO
Mezzolombardo
San Martino di Castrozza
CIMA BRENTA
Longarone
3150
San Michele all' Ádige
Pinzolo
Andalo
Passo di Cereda 1369
Molveno
CIMA D'ASTA
2847
Lavis
ALTO ADIGE
Fiera di Primiero
Belluno
Tione di Trento
Vezzano
Trento
Roncegno
Sédico
Ponte Arche
Borgo
Trichiana
D
E
F
A7
E532
A95
E533
E60
A12
E45
A13
A22
SS12
SS38
SS40
SS42
SS43
SS44
SS48
SS49
SS50
SS241
SS242
SS244
SS621

36
Feldkirchen
Bad Aibling
Kolbermoor
Bad Endorf
Gstadt
Chieming
Prien
Chiemsee
Traunstein
Waging
Laufen
Oberndorf
Mattsee
Neumarkt
St Georgen
Miesbach
Rosenheim
Raubling
Bernau
Grassau
28
Siegsdorf
Teisendorf
Freilassing
Mondsee
Gmund
Hausham
Schliersee
Frasdorf
Reischenhart
Aschau
Ruhpolding
Inzell
SALZBURG
Brannenburg
Marquartstein
Degerndorf
Schleching
Unterwössen
St Gilgen
Rottach
Bayrischzell
Kössen
Reit im Winkl
Stein Pass 540
Bad Reichenhall
Kreuth
Oberaudorf
Walchsee
Hallein
ALPEN
Kiefersfelden
Achen Pass
Thiersee
Kufstein
KAISERGEBIRGE
Berchtesgaden
Kuchl
Lofer
Waidring
Strub Pass
Königssee
Golling
Gschütt Pass
Brandenberg
Söll
St Johann in Tirol
WATZMANN
Lueg Pass
Gosau
Abtenau
Rattenberg
Wörgl
Hopfgarten
Fieberbrunn
Annaberg
Brixlegg
Niederau
Kirchberg
Kitzbühel
Werfen
Westendorf
Aurach
Saalfelden
Auffach
Leogang
Alpbach
Fügen
Saalbach
Bischofshofen
Eben im Pongau
Schwaz
35
KITZBÜHELER ALPEN
Hinterthal
Filzen Sattel
Mühlbach
Bruck an der Grossglocknerstrasse
Dienten
St Johann im Pongau
Altenmarkt im Pongau
Thurn Pass
Zell am See
Taxenbach
Wagrain
Neukirchen
Mittersill
Uttendorf
Kaprun
Saalach
Lend
Schwarzach
Zell am Ziller
Gerlos
Gerlos Pass 1628
Krimml
GASTEINTAL
Fusch
Rauris
Grossarl
Mayrhofen
FELBER-TAUERN-TUNNEL
Ferleiten
TAUERNTUNNEL
Hüttschlag
GROSSVENEDIGER
Bad Hofgastein
Dornauberg
Grossglocknerstrasse 2503
Badgastein
Predoi/Prettau
Franz Josephs-Höhe
HOHE TAUERN
Böckstein
St M
Prägraten
OST TIROL
Kals
Heiligenblut
KATSCHBERG TUNNEL
Virgen
Matrei in Osttirol
Rennweg
Campo Túres/Sand in Taufers
Döllach
Mallnitz
Huben
Erlsbach
Anterselva/Antholz
Obervellach
Staller Sattel/Passo Stalle 2052
Möll
Gmünd
Brunico/Bruneck
Winklern
Iselsberg 1204
Monguelfo/Welsberg
Lienz
Iselsberg
Möllbrücke
Sillian
Drau
Oberdrauburg
Greifenburg
Steinfeld
Spittal an der Drau
Dobbiaco/Toblach
San Cándido/Innichen
Sesto/Sexten
Marebbe/St Vigil
St Lorenzen
Gailbergsattel Pass 982
Kötschach-Mauthen
Techendorf
Weissensee
Passo Monte Croce di Comélico 1636
Carbonin/Schludersbach
Weissbriach
Selva di Val Gardena/Wolkenstein in Gardena
Passo di Gardena 2121
Misurina
Tre Croci 1809
Passo del Zovo 1482
Plöcken Pass/Passo di Monte Croce 1360
Hermagor
Corvara in Badia
Passo di Falzárego 2117
Sappada
Cortina d'Ampezzo
Auronzo di Cadore
San Stéfano di Cadore
Passo di Campolongo
Arabba
Passo Pordoi
Nassfeld Pass 1530
MARMOLADA
San Vito di Cadore
Lozzo di Cadore
Paluzza
Pontebba
Tarvisio
Pieve di Cadore
Passo della Mauria 1298
Forcella Staulanza 1773
Villa Santina
Falcade
Alleghe
Tai di Cadore
Forni di Sopra
Ampezzo
Tolmezzo
Cencenighe
Passo Cibiana 1536
Tagliamento
Chiusaforte
Passo di Rolle 1970
Passo Duran 1601
Forno di Zoldo
Passo di Sant' Osvaldo 827
FRIULI
Carnia
Passo di Nevea
Agordo
Venzone
Žaga
Passo di Cereda 1369
Longarone
Gemona del Friuli
Fiera di Primiero
Ponte nelle Alpi
Bárcis
VENÉZIA
Tarcento
Belluno
Maniago
Sédico
Lago di S Croce
Spilimbergo
San Daniele del Friuli
Tricesimo
Aviano
Dignano
A
B
C
1
2
3
4

37
38
29
Steyr
Seitenstetten
Bad Hall
Waidhofen an der Ybbs
Scheibbs
Laakirchen
Vorchdorf
Seewalchen
Attersee
Pettenbach
Gmunden
Weyregg
Altmünster
Scharnstein
Traunsee
Grünburg
Losenstein
Kirchdorf an der Krems
Ybbsitz
Gaming
Micheldorf
Grossraming
Traunkirchen
Grünau
Klaus an der Pyhrnbahn
Weyer-Markt
Unterach
Ebensee
SALZKAMMERGUT
SENGSENGEBIRGE
Wolfgang
Almsee
Göstling
Lunz
GR ÖTSCHER
1893
Mariazell
2523
GR PRIEL
TOTES GEBIRGE
Bad Ischl
Windischgarsten
Altenmarkt
Pötschen Pass
982
Altaussee
Gössl
Hinterstoder
Hengst Pass
1010
St Gallen
Grundlsee
Bad Aussee
Spital am Pyhrn
945 Pyhrn Pass
BOSRUCK TUNNEL
850 Buchauer Sattel
Wildalpen
Salza
2277
HOCHSCHWAB
Hallstatt
692
Koppensattel
Bad Mitterndorf
Liezen
Hieflau
Hallstätter See
Obertraun
Tauplitz
Stainach
Enns
Admont
Aflenz
Au
Rottenmann
Eisenerz
1232 Präbichl Pass
2995
DACHSTEINGRUPPE
Irdning
Gröbming
EISENERZER ALPEN
Vordernberg
849 Schober Pass
Trieben
Öblarn
Ramsau
Kalwang
Kapfenberg
2449
GR BÖSENSTEIN
Hohentauern
Rottenmanner Tauern
1265
Schladming
Trofaiach
Donnersbach
Mautern
Leoben
2416
HOCHREICHART
ROTTENMANNER TAUERN
St Johann am Tauern
St Michael
St Nikolai
Seckau
Sölk Pass 1790
Obertauern
2863
HOCHGOLLING
1739 Radstädter-Tauern Pass
NIEDERE TAUERN
Oberzeiring
STEIER
GLEINALM-TUNNEL
Oberwölz
St Georgen
Fohnsdorf
Knittelfeld
Mur
Mauterndorf
Schöder
Zeltweg
Judenburg
Michael
Tamsweg
Murau
Scheifling
Weisskirchen
1551 Gaberl
995 Perchauer Sattel
1641 Katschberg
Predlitz
Neumarkt
STUBALPE
Gratkorn
St Lambrecht
2396 ZIRBITZKOGEL
Köflach
Voitsberg
AUTOBAHN
Metnitz
Turrach
Bad St Leonhard
Packsattel 1166
Friesach
1763 Turracher Höhe
Strassburg
Twimberg
Stainz
SAUALPE
Gurk
2079
KÄRNTEN
Millstatt
Patergassen
Bad Kleinkirchheim
Wolfsberg
KORALPE
Radenthein
Eberstein
Döbriach
2140
Deutschlandsberg
Feld
St Veit
St Andrä
Feldkirchen
Brückl
Griffen
Annenheim
St Paul
Ossiacher See
Ossiach
Klagenfurt
Eibiswald
Villach
Pörtschach
Krumpendorf
Völkermarkt
Lavamünd
2166
Velden
Wörther See
Maria Wörth
KLAGENFURT
Bleiburg
Vič
Radlje ob Dravi
Rosegg
Drau
Faak
St Jakob im Rosental
Dravograd
Holmec
1073 Wurzenpass
Rateče
KARAWANKEN
Podkoren
Kranjska Gora
1067
Slovenj Gradec
KARAWANKEN-TUNNEL
Loiblpass 770
Eisenkappel
1543 CRNI VRH
Predel
prelaz Vršič 1611
Jesenice
Črna
Ljubelj
1218 Seeberg Pass
2863 TRIGLAV
Bled
Jezersko
2558 GRINTAVEC
TRIGLAV NACIONALNI PARK
Radovljica
Tržič
Velenje
Stranice
Bohinjsko Jezero
Preddvor
Ljubno
Radmirje
Kobarid
Bohinjska Bistrica
Vojnik
Sava
Vransko
Kranj
Kamnik
Tolmin
Celje
Škofja Loka
Lukovica
Trojane
Trbovlje
Laško
D
E
F
A9 E57
E57 A9
E651
A2 E66
E66 A10
E55
E61 A11
E652
S6 S35 S36
70 E66
10 E57

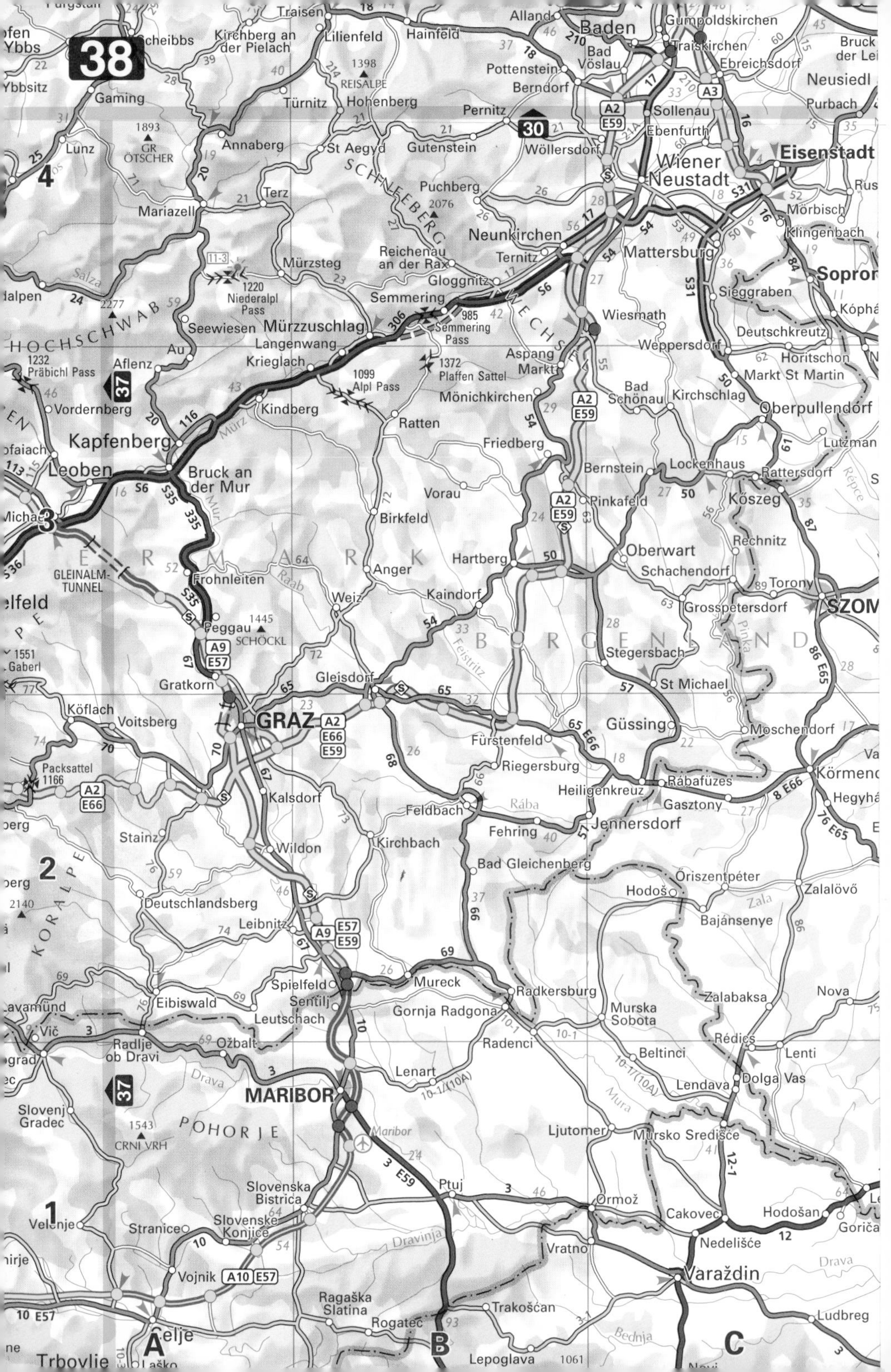

38
Traisen
Lilienfeld
Hainfeld
Alland
Baden
Gumpoldskirchen
Scheibbs
Kirchberg an der Pielach
Bad Vöslau
Traiskirchen
Bruck an der Leitha
Ybbsitz
Gaming
1398 REISALPE
Pottenstein
Berndorf
Ebreichsdorf
Neusiedl
Türnitz
Hohenberg
Pernitz
Sollenau
Purbach
1893 GR ÖTSCHER
Annaberg
St Aegyd
Gutenstein
30
Wöllersdorf
Ebenfurth
Lunz
SCHNEEBERG
Wiener Neustadt
Eisenstadt
Puchberg
2076
Mariazell
Terz
Mörbisch
Neunkirchen
Klingenbach
Reichenau an der Rax
Mürzsteg
Ternitz
Mattersburg
Sopron
Gloggnitz
1220 Niederalpl Pass
Siggraben
2277
Semmering
HOCHSCHWAB
WECHSEL
985 Semmering Pass
Seewiesen
Mürzzuschlag
Wiesmath
Langenwang
Weppersdorf
Deutschkreutz
1232 Präbichl Pass
Aflenz
Au
Krieglach
1099 Alpl Pass
1372 Pfaffen Sattel
Aspang Markt
Horitschon
37
Markt St Martin
Vordernberg
Kindberg
Mönichkirchen
Bad Schönau
Kirchschlag
Oberpullendorf
Ratten
Kapfenberg
Friedberg
Lutzmannsburg
Leoben
Bruck an der Mur
Bernstein
Lockenhaus
Rattersdorf
Vorau
Pinkafeld
Kőszeg
Birkfeld
Oberwart
Rechnitz
GLEINALM-TUNNEL
STEIERMARK
Hartberg
Schachendorf
Torony
Frohnleiten
Anger
Raab
Kaindorf
Grosspetersdorf
SZOMBATHELY
Weiz
1445 SCHÖCKL
Peggau
BURGENLAND
1551 Gaberl
Stegersbach
St Michael
Gratkorn
Gleisdorf
Köflach
Voitsberg
GRAZ
Fürstenfeld
Güssing
Moschendorf
Riegersburg
Packsattel 1166
Heiligenkreuz
Rábafüzes
Körmend
Kalsdorf
Gasztony
Hegyhát
Feldbach
Rába
Fehring
Jennersdorf
Stainz
Kirchbach
Wildon
Bad Gleichenberg
Őriszentpéter
Zalalövő
Hodoš
Zala
Deutschlandsberg
Bajánsenye
2140
KORALPE
Leibnitz
Spielfeld
Mureck
Radkersburg
Zalabaksa
Nova
Eibiswald
Šentilj
Gornja Radgona
Murska Sobota
Lavamünd
Leutschach
Radenci
Rédics
Lenti
Vič
Radlje ob Dravi
Ožbalt
Beltinci
Drava
Lenart
Dolga Vas
Lendava
MARIBOR
Slovenj Gradec
Maribor
Mura
1543 CRNI VRH
POHORJE
Ljutomer
Mursko Središće
Ptuj
Slovenska Bistrica
Ormož
Hodošan
Velenje
Stranice
Slovenske Konjice
Cakovec
Goriča
Nedelišće
Dravinja
Vratno
Vojnik
Varaždin
Drava
Ragaška Slatina
Trakošćan
Celje
Rogatec
Ludbreg
Bednja
Trbovlje
Laško
Lepoglava
1061
A
B
C
1
2
3
4

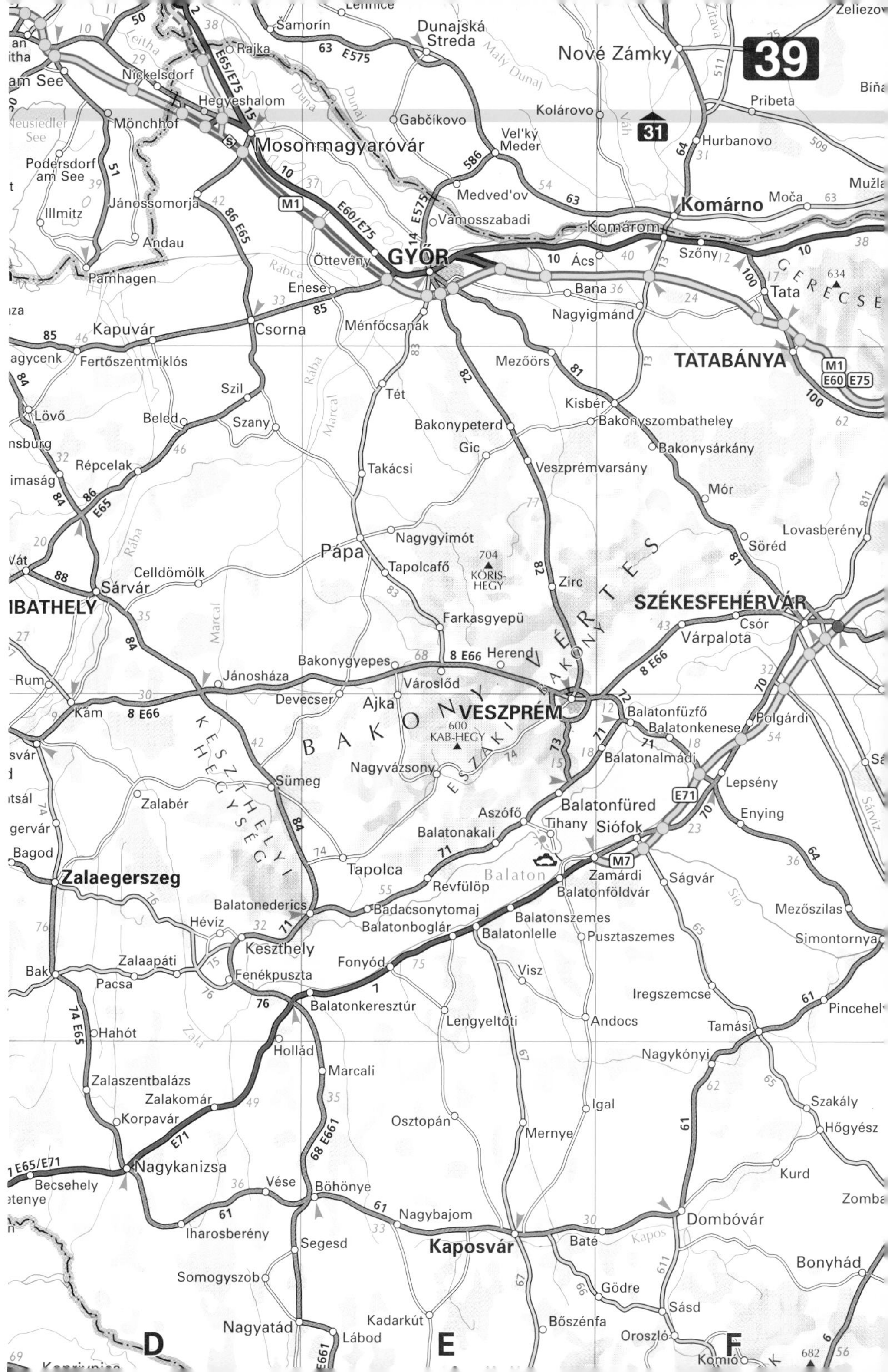
Šamorín
Dunajská Streda
Nové Zámky
Zeliezovce
Rajka
Nickelsdorf
Hegyeshalom
Malý Dunaj
Dunaj
Duna
Leitha
Neusiedler See
Mönchhof
Podersdorf am See
Mosonmagyaróvár
Gabčíkovo
Kolárovo
Váh
31
Vel'ký Meder
Hurbanovo
Pribeta
Bíňa
Illmitz
Jánossomorja
Andau
Pamhagen
Medved'ov
Vámosszabadi
Komárno
Moča
Mužla
Komárom
Ács
Szőny
Tata
GERECSE
634
Öttevény
GYŐR
Rábca
Enese
Bana
Nagyigmánd
Kapuvár
Csorna
Ménfőcsanak
Fertőszentmiklós
Mezőörs
TATABÁNYA
M1
E60
E75
Szil
Tét
Kisbér
Lövő
Beled
Szany
Bakonypeterd
Bakonyszombathely
Gic
Bakonysárkány
Répcelak
Takácsi
Veszprémvarsány
Rába
Marcal
Mór
Lovasberény
Söréd
Pápa
Nagygyimót
Tapolcafő
704
KŐRIS-HEGY
Zirc
VÉRTES
Celldömölk
Sárvár
SZÉKESFEHÉRVÁR
Farkasgyepü
Csór
Várpalota
Herend
Bakonygyepes
Jánosháza
Városlőd
Rum
Devecser
Ajka
Kám
VESZPRÉM
Balatonfűzfő
Balatonkenese
Polgárdi
BAKONY
600
KAB-HEGY
ÉSZAKI BAKONY
KESZTHELYI HEGYSÉG
Balatonalmádi
Nagyvázsony
Sümeg
Lepsény
Zalabér
Balatonfüred
Aszófő
Tihany
Siófok
Enying
Balatonakali
Bagod
Balaton
Zalaegerszeg
Tapolca
Revfülöp
Zamárdi
Ságvár
Balatonföldvár
Sió
Balatonederics
Badacsonytomaj
Mezőszilas
Hévíz
Balatonszemes
Balatonboglár
Balatonlelle
Pusztaszemes
Simontornya
Keszthely
Zalaapáti
Fonyód
Visz
Bak
Pacsa
Fenékpuszta
Iregszemcse
Pincehely
Balatonkeresztúr
Lengyeltóti
Andocs
Tamási
Hahót
Zala
Holládi
Nagykónyi
Marcali
Zalaszentbalázs
Zalakomár
Igal
Szakály
Korpavár
Osztopán
Hőgyész
Mernye
Nagykanizsa
Kurd
Becsehely
Vése
Böhönye
Zomba
Nagybajom
Dombóvár
Iharosberény
Kaposvár
Baté
Kapos
Segesd
Bonyhád
Somogyszob
Gödre
Sásd
Kadarkút
Nagyatád
Lábod
Bőszénfa
Oroszló
D
E
F
682
Komló
E65/E71
M7
E71
8 E66
E60/E75
E575
E65
68 E661
74 E65

# A

Aabenraa *DK* 2 C3
Aachen *D* 12 B1
Aakirkeby *DK* 5 F2
Aalburg *NL* 12 A3
Aalen *D* 26 C3
Aalsmeer *NL* 6 A1
Aalten *NL* 13 D3
Aarau *CH* 33 E4
Aarberg *CH* 33 D3
Aarburg *CH* 33 E4
Aarschot *B* 12 A2
Abbekås *S* 5 D3
Abenberg *D* 27 E4
Abensberg *D* 28 A3
Abondance *F* 32 C2
Abreschviller *F* 25 D3
Abtenau *A* 36 C4
Abtshagen *D* 10 C4
Achenkirch *A* 35 F4
Achern *D* 25 F3
Achim *D* 8 B2
Ács *H* 39 F4
Adelboden *CH* 33 D2
Adelebsen *D* 14 C2
Adelsheim *D* 20 B1
Adelsried *D* 27 D2
Adenau *D* 19 D4
Admont *A* 37 E4
Adorf *D* 22 A3
Æerøskobing *DK* 3 E2
Aerzen *D* 14 B3
Aflenz *A* 38 A3
Aggsbach-Dorf *A* 30 A2
Aggsbach-Markt *A* 30 A2
Agordo *I* 36 A1
Ahaus *D* 13 D4
Ahlbeck *D* 11 E3
Ahlbeck *D* 11 E3
Ahlen *D* 13 E3
Ahlhorn *D* 8 A2
Ahrensbök *D* 9 E4
Ahrensburg *D* 9 D3
Ahrweiler *D* 19 D4
Åhus *S* 5 E4
Aicha *D* 28 C3
Aichach *D* 27 E2
Aidenbach *D* 28 C2
Aigen *A* 29 D2
Aigle *CH* 32 C2
Aiglsbach *D* 27 F3
Airolo *CH* 33 F2
Aïssey *F* 32 B4
Aiterhofen *D* 28 B3
Aitrach *D* 26 C1
Aix-les-Bains *F* 32 A1
Ajka *H* 39 E2
Aken *D* 16 A3
Alagna-Valsésia *I* 33 D1
Albens *F* 32 A1
Albersdorf *D* 2 C1
Albertville *F* 32 B1
Aldenhoven *D* 12 C1
Alf *D* 19 D3
Alfeld *D* 21 E1
Alfeld *D* 14 C3
Alkmaar *NL* 6 A2
Alkoven *A* 29 E2
Alland *A* 30 B1
Alleghe *I* 36 A1
Allensbach *D* 26 B1
Allersberg *D* 27 E4
Allershausen *D* 27 F2
Allinge *DK* 5 E3
Allstedt *D* 15 E2
Almelo *NL* 7 D1
Almere *NL* 6 B1
Alpbach *A* 36 A3
Alpen *D* 12 C3
Alphen-aan den Rijn *NL* 6 A1
Alpirsbach *D* 25 F2
Alsenz *D* 19 E2
Alsfeld *D* 20 B4
Alsleben *D* 15 F2
Alstätte *D* 13 D4
Alt Schadow *D* 17 D3
Altaussee *A* 37 D4
Altdorf *CH* 33 F3
Altdorf *D* 21 E1
Altena *D* 13 E2
Altenahr *D* 19 D4
Altenau *D* 15 D3
Altenberg *D* 23 D4
Altenberge *D* 13 E4
Altenburg *D* 22 B4
Altenglan *D* 19 D2
Altenhundem *D* 13 F1
Altenkirchen *D* 19 E4
Altenkirchen *D* 4 C2
Altenmarkt *D* 28 B1
Altenmarkt *A* 37 E4
Altenmarkt im Pongau *A* 36 C3
Altenstadt *D* 26 C2
Altensteig *D* 26 A3
Altentreptow *D* 10 C3
Altenwalde *D* 8 B4
Altheim *A* 28 C2
Altkirch *F* 25 D1
Altmünster *A* 29 D1
Altötting *D* 28 B2
Altruppin *D* 10 B1
Altshausen *D* 26 B1
Altstätten *CH* 34 B4
Alzenau *D* 20 B3
Alzey *D* 19 E2
Amance *F* 24 B2
Amancey *F* 32 B3
Amay *B* 12 A1
Amberg *D* 21 F1
Amelinghausen *D* 9 D2
Amerongen *NL* 12 B4
Amersfoort *NL* 12 B4
Amorbach *D* 20 B2
Ampezzo *I* 36 B1
Ampfing *D* 28 B2
Amphion *F* 32 B2
Amriswil *CH* 34 B4
Amsteg *CH* 33 F2
Amsterdam *NL* 6 A1
Amstetten *A* 29 F1
Ancerville *F* 24 A4
Andalo *I* 35 D1
Andau *A* 39 D4
Andelot *F* 24 A3
Andenne *B* 18 A4
Andermatt *CH* 33 F2
Andernach *D* 19 D4
Anderslov *S* 4 C3
Andijk *NL* 6 B2
Andocs *H* 39 E2
Andolsheim *F* 25 D2
Anger *A* 38 B3
Angermünde *D* 11 D2
Angern *A* 31 D2
Anjum *NL* 6 C3
Anklam *D* 11 D3
Ankum *D* 7 F1
Anna Paulowna *NL* 6 A2
Annaberg *A* 36 C3
Annaberg *A* 38 A4
Annaberg-Buchholz *D* 22 B3
Annecy *F* 32 A1
Annemasse *F* 32 B2
Annenheim *A* 37 D2
Annweiler *D* 19 E1
Ansager *DK* 2 C4
Ansbach *D* 27 D4
Anterselva/Antholz *I* 36 A2
Antholz/Anterselva *I* 36 A2
Apeldoorn *NL* 12 C4
Apen *D* 7 F3
Apensen *D* 8 C3
Apolda *D* 15 E1
Appelhülsen *D* 13 E3
Appenweier *D* 25 E3
Appenzell *CH* 34 B3
Appiano/Eppan *I* 35 E1
Appingedam *NL* 7 D3
Aprica *I* 34 C1
Arabba *I* 35 F1
Arbesbach *A* 29 F2
Arbois *F* 32 A3
Arbon *CH* 34 B4
Arcen *NL* 12 C3
Arches *F* 24 C2
Ardez *CH* 34 C2
Arendonk *B* 12 A2
Arendsee *D* 9 F1
Argancy *F* 18 B1
Argegno *I* 34 A1
Argentière *F* 32 C1
Arinthod *F* 32 A2
Arlon *B* 18 B2
Arnager *DK* 5 E2
Arneburg *D* 10 A1
Arnhem *NL* 12 C4
Arnoldstein *A* 37 D1
Arnsberg *D* 13 F2
Arnschwang *D* 28 C4
Arnstadt *D* 21 E4
Arnstein *D* 20 C2
Arolla *CH* 33 D1
Arolsen *D* 14 B2
Arosa *CH* 34 B2
Årøsund *DK* 3 D3
Arracourt *F* 24 C3
Årre *DK* 2 B4
Ars-sur-Moselle *F* 18 B1
Årslev *DK* 3 E3
Artemare *F* 32 A1
Artern *D* 15 E2
Arth *CH* 33 F3
Arth *D* 28 A2
Årup *DK* 3 D3
Arzberg *D* 22 A2
Arzl *A* 35 D3
As *B* 12 B2
Aš *CZ* 22 A3
Ascha *D* 28 B3
Aschach *A* 29 D2
Aschaffenburg *D* 20 B2
Aschau *D* 36 B4
Aschbach Markt *A* 29 F1
Ascheberg *D* 13 E3
Ascheberg *D* 3 D1
Aschendorf *D* 7 E2
Aschersleben *D* 15 F2
Ascona *CH* 33 F1
Asendorf *D* 8 B1
Aspang Markt *A* 38 B3
Assen *NL* 7 D2
Assens *DK* 3 D3
Assling *D* 28 A1
Assmannshausen *D* 19 E3
Asten *NL* 12 B2
Asten *A* 29 E2
Aszófő *H* 39 E2
Attendorn *D* 13 E2
Attersee *A* 29 D1
Attnang-Puchheim *A* 29 D1
Atzendorf *D* 15 F3
Au *D* 27 F2
Au *A* 38 A3
Aubange *B* 18 B2
Auboué *F* 18 B1
Audeux *F* 32 B4
Audincourt *F* 24 C1
Audun-le-Roman *F* 18 B2
Aue *D* 22 B3
Auer/Ora *I* 35 E1
Auerbach *D* 21 E1
Auerbach *D* 22 A3
Auffach *A* 36 A3
Augsburg *D* 27 E2
Augustenborg *DK* 3 D3
Augustusburg *D* 22 C4
Auma *D* 21 F3
Aumetz *F* 18 B2
Aurach *D* 27 D4
Aurach *A* 36 B3
Aurich *D* 7 E3
Auronzo di Cadore *I* 36 B2
Aussernbrünst *D* 29 D3
Auxonne *F* 32 A4
Avenches *CH* 32 C3
Avoriaz *F* 32 C2
Ayas *I* 33 D1

# B

Baad *A* 34 C3
Baar *D* 27 E3
Baarle Nassau *NL* 12 A3
Baarn *NL* 6 B1
Babenhausen *D* 27 D2
Babenhausen *D* 20 A2
Babigoszcz *PL* 11 E3
Babylon *CZ* 28 C4
Baccarat *F* 24 C3
Bacharach *D* 19 E3
Backnang *D* 26 B4
Baczyna *PL* 11 F1
Bad Abbach *D* 28 A3
Bad Aibling *D* 28 A1
Bad Aussee *A* 37 D4
Bad Bentheim *D* 13 E4
Bad Bergzabern *D* 25 F4
Bad Berka *D* 21 E4
Bad Berleburg *D* 13 F1
Bad Berneck *D* 21 F2
Bad Bertrich *D* 19 D3
Bad Bevensen *D* 9 D2
Bad Bibra *D* 15 F1
Bad Blankenburg *D* 21 E4
Bad Brambach *D* 22 A3
Bad Bramstedt *D* 9 D4
Bad Breisig *D* 19 D4
Bad Brückenau *D* 20 C3
Bad Buchau *D* 26 C2
Bad Doberan *D* 10 A4
Bad Driburg *D* 14 B3
Bad Düben *D* 16 B2
Bad Dürkheim *D* 19 E1
Bad Dürrenberg *D* 16 A1
Bad Dürrheim *D* 25 F2
Bad Elster *D* 22 A3
Bad Ems *D* 19 E3
Bad Endorf *D* 28 B1
Bad Essen *D* 14 A4
Bad Frankenhausen *D* 15 E2
Bad Freienwalde *D* 11 D1
Bad Friedrichshall *D* 26 B4
Bad Gandersheim *D* 14 C3
Bad Gleichenberg *A* 38 B2
Bad Godesberg *D* 19 D4
Bad Goisern *A* 37 D4
Bad Gottleuba *D* 23 D4
Bad Grund *D* 15 D3
Bad Hall *A* 29 E1
Bad Harzburg *D* 15 D3
Bad Herrenalb *D* 25 F3
Bad Hersfeld *D* 20 C4
Bad Hofgastein *A* 36 C3
Bad Homburg *D* 19 F3
Bad Honnef *D* 19 D4
Bad Hönnigen *D* 19 D4
Bad Iburg *D* 13 F4
Bad Ischl *A* 37 D4
Bad Kissingen *D* 20 C3
Bad Kleinen *D* 9 F3
Bad Kleinkirchheim *A* 37 D2
Bad König *D* 20 A2
Bad Königshofen *D* 21 D3
Bad Kösen *D* 15 F1
Bad Kreuznach *D* 19 E2
Bad Krozingen *D* 25 E2
Bad Laasphe *D* 13 F1
Bad Langensalza *D* 15 D1

NEUBRANDENBURG
SZCZECIN
HAMBURG
MAGDEBURG
LEIPZIG
DRESDEN
FRANKFURT (ODER)
Kremmen
Oranienburg
Wandlitz
Biesenthal
Basdorf
Birkenwerder
Börnicke
Hennigsdorf
Zepernick
Bernau
Werneuchen
Nauen
Brieselang
Reinickendorf
Pankow
Altlandsberg
Falkensee
Spandau
Tegel
Wedding
Weissensee
Kreuzberg
Wilmersdorf
BERLIN
Ketzin
Havel
Tempelhof
Köpenick
Steglitz
Rahnsdorf
Erkner
Wannsee
Müggelheim
POTSDAM
Teltow
Eichwalde
Werder
Schönefeld
Zeuthen
Grossbeeren
Mahlow
Wildau
Michendorf
Rangsdorf
Königs Wusterhausen
Ludwigsfelde
Mittenwalde
Nunsdorf
Beelitz
Trebbin
Zossen
0
15 km
A24
E26
E55
A10
A11
E28
A111
A114
A115
E51
A100
A113
E30
A9
A13
E36
E251

Bad Lauchstädt *D* .............. **15** F2
Bad Lausick *D* .............. **16** B1
Bad Lauterburg *D* .............. **15** D2
Bad Leonfelden *A* .............. **29** E2
Bad Liebenstein *D* .............. **21** D4
Bad Liebenwerda *D* .............. **16** C2
Bad Liebenzell *D* .............. **26** A3
Bad Lippspringe *D* .............. **14** B3
Bad Marienberg *D* .............. **19** E4
Bad Meinberg *D* .............. **14** B3
Bad Mergentheim *D* .............. **20** B1
Bad Mitterndorf *A* .............. **37** D4
Bad Münder *D* .............. **14** C4
Bad Münster
Ebernburg *D* .............. **19** E2
Bad Münstereifel *D* .............. **18** C4
Bad Muskau *D* .............. **17** E2
Bad Nauheim *D* .............. **20** A3
Bad Nenndorf *D* .............. **14** C4
Bad Neuenahr *D* .............. **19** D4
Bad Neustadt *D* .............. **20** C3
Bad Oeynhausen *D* .............. **14** B4
Bad Oldesloe *D* .............. **9** D3
Bad Orb *D* .............. **20** B3
Bad Peterstal *D* .............. **25** F3
Bad Pyrmont *D* .............. **14** B3
Bad Ragaz *CH* .............. **34** B3
Bad Reichenhall *D* .............. **36** B4
Bad Rippoldsau *D* .............. **25** F3
Bad Rothenfelde *D* .............. **13** F4
Bad Saarow-Pieskow *D* .............. **17** D3
Bad Sachsa *D* .............. **15** D2
Bad Säckingen *D* .............. **25** E1
Bad St. Leonhard *A* .............. **37** F2
Bad Salzdetfurth *D* .............. **14** C3
Bad Salzuflen *D* .............. **14** B3
Bad Salzungen *D* .............. **20** C4
Bad Schandau *D* .............. **23** D4
Bad Schmiedeberg *D* .............. **16** B2
Bad Schönau *A* .............. **38** C3
Bad Schönborn *D* .............. **26** A4
Bad Schussenried *D* .............. **26** C2
Bad Schwalbach *D* .............. **19** E3
Bad Schwartau *D* .............. **9** E4
Bad Segeberg *D* .............. **9** D4
Bad Sooden-Allendorf *D* .............. **14** C2
Bad Sülze *D* .............. **10** B4
Bad Tennstedt *D* .............. **15** D1
Bad Tölz *D* .............. **35** F4
Bad Urach *D* .............. **26** B3
Bad Vöslau *A* .............. **30** C1
Bad Waldsee *D* .............. **26** C1
Bad Wiessee *D* .............. **35** F4
Bad Wilsnack *D* .............. **10** A2
Bad Wimpfen *D* .............. **26** B4
Bad Windsheim *D* .............. **20** C1
Bad Wörishofen *D* .............. **27** D1
Bad Wurzach *D* .............. **26** C1
Bad Zwischenahn *D* .............. **7** F2
Bad-Wildungen *D* .............. **14** B1
Badacsonytomaj *H* .............. **39** E2
Baden *CH* .............. **33** F4
Baden *A* .............. **30** C1
Baden-Baden *D* .............. **25** F3
Badenweiler *D* .............. **25** E1
Badgastein *A* .............. **36** C3
Badonviller *F* .............. **25** D3
Bagenkop *DK* .............. **3** E2
Bagni del Másino *I* .............. **34** B1
Bågø *DK* .............. **3** D3
Bagod *H* .............. **39** D2
Baiersbronn *D* .............. **25** F3
Bains-les-Bains *F* .............. **24** B2
Bajánsenye *H* .............. **38** C2
Bak *H* .............. **39** D2
Bække *DK* .............. **2** C4
Bakonygyepes *H* .............. **39** E3
Bakonypeterd *H* .............. **39** E3
Bakonysárkány *H* .............. **39** F3
Bakonyszombatheley *H* .............. **39** E3
Balatonakali *H* .............. **39** E2
Balatonalmádi *H* .............. **39** F2
Balatonboglár *H* .............. **39** E2
Balatonederics *H* .............. **39** E2
Balatonföldvár *H* .............. **39** E2
Balatonfüred *H* .............. **39** E2
Balatonfűzfő *H* .............. **39** F2
Balatonkenese *H* .............. **39** F2
Balatonkeresztúr *H* .............. **39** E2
Balatonlelle *H* .............. **39** E2
Balatonszemes *H* .............. **39** E2
Balderschwang *D* .............. **34** C4
Balingen *D* .............. **26** A2
Ballebro *DK* .............. **3** D3
Ballen *DK* .............. **3** E4
Ballenstedt *D* .............. **15** E2
Ballerup *DK* .............. **4** B4
Ballum *DK* .............. **2** B3
Balmúccia *I* .............. **33** E1
Balsthal *CH* .............. **33** E4
Baltrum *D* .............. **7** E4
Bamberg *D* .............. **21** D2
Bana *H* .............. **39** E4
Bandholm *DK* .............. **3** F2
Banie *PL* .............. **11** E2
Banka *SK* .............. **31** E2
Bánov *CZ* .............. **31** E3
Bánovce nad
Bebravou *SK* .............. **31** F3
Bansin *D* .............. **11** D4
Bar-le-Duc *F* .............. **24** A4
Barbing *D* .............. **28** B3
Barchfeld *D* .............. **21** D4
Bárcis *I* .............. **36** B1
Bårdesø *DK* .............. **3** E4
Bardowick *D* .............. **9** D2
Barenburg *D* .............. **8** B1
Bargteheide *D* .............. **9** D3
Båring *DK* .............. **3** D4
Barlinek *PL* .............. **11** F1
Barmstedt *D* .............. **8** C3
Bärnau *D* .............. **22** A2
Barneberg *D* .............. **15** E3
Barneveld *NL* .............. **12** B4
Barnewitz *D* .............. **16** B4
Barnstorf *D* .............. **8** A1
Barntrup *D* .............. **14** B3
Barr *F* .............. **25** D3

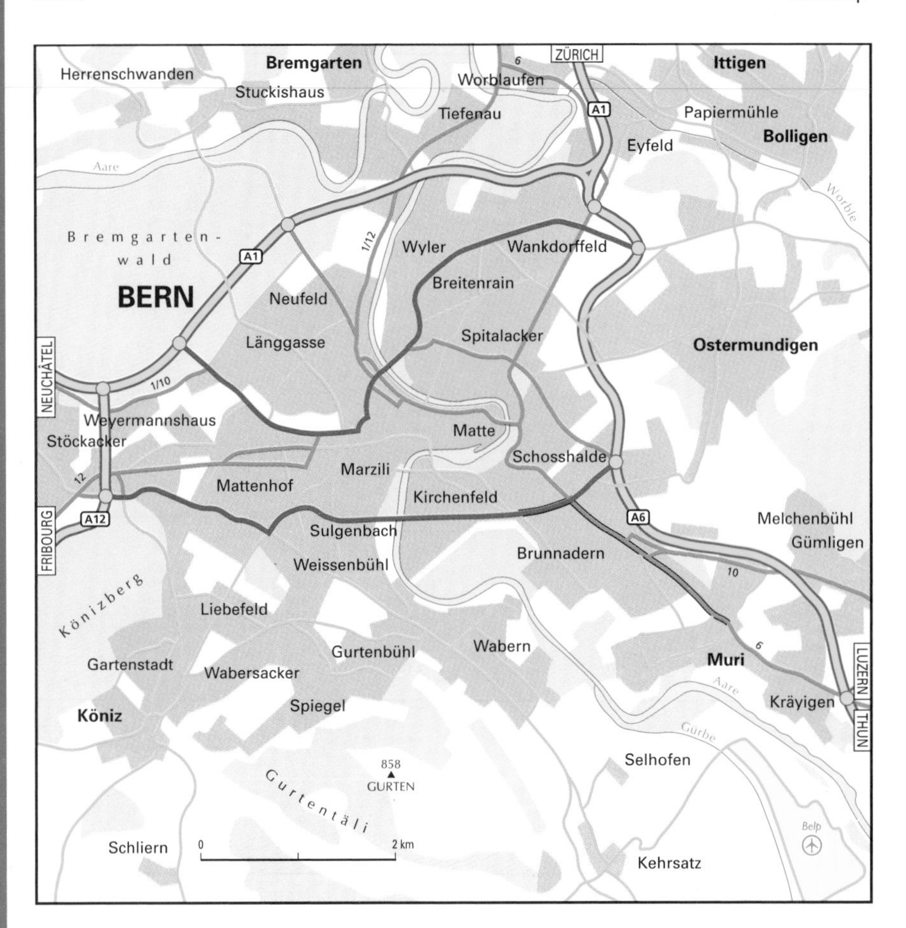
Herrenschwanden
Bremgarten
Stuckishaus
Worblaufen
ZÜRICH
Ittigen
Tiefenau
A1
Papiermühle
Eyfeld
Bolligen
Aare
Worble
Bremgartenwald
A1
1/12
Wyler
Wankdorffeld
BERN
Neufeld
Breitenrain
Länggasse
Spitalacker
Ostermundigen
NEUCHÂTEL
1/10
Weyermannshaus
Stöckacker
Matte
Schosshalde
Marzili
Mattenhof
Kirchenfeld
12
FRIBOURG
A12
A6
Melchenbühl
Gümligen
Sulgenbach
Brunnadern
Weissenbühl
10
Könizberg
Liebefeld
Gurtenbühl
Wabern
Muri
Gartenstadt
Wabersacker
Aare
Kräyigen
LUZERN
Köniz
Spiegel
THUN
Gürbe
858
GURTEN
Selhofen
Gurtentäli
Belp
Schliern
0
2 km
Kehrsatz

Barssel *D* 7 F2
Barth *D* 4 B1
Baruth *D* 16 C3
Barver *D* 8 A1
Barzio *I* 34 B1
Basdahl *D* 8 B3
Basel *CH* 25 D1
Bassum *D* 8 B2
Bastogne *B* 18 B3
Baté *H* 39 F1
Batelov *CZ* 30 A4
Battenberg *D* 14 A1
Battice *B* 12 B1
Baume-les-Dames *F* 32 B4
Baumholder *D* 19 D2
Bautzen *D* 17 E1
Baveno *I* 33 E1
Bavorov *CZ* 29 E3
Bayerisch Eisenstein *D* 28 C3
Bayon *F* 24 C3
Bayreuth *D* 21 E2
Bayrischzell *D* 36 A4
Beaufort-sur-Doron *F* 32 B1
Beaurepaire-en-Bresse *F* 32 A3
Bebra *D* 14 C1
Bechhofen *D* 27 D4
Bechyně *CZ* 29 E4
Beckenried *CH* 33 F3
Beckum *D* 13 E2
Beckum *D* 13 F3
Becov nad Tepbu *CZ* 22 B2
Becsehely *H* 39 D1
Beddingestrand *S* 5 D3
Bederkesa *D* 8 B3
Beek *NL* 12 B2
Beek en Donk *NL* 12 B3
Beelitz *D* 16 C3
Beerfelden *D* 20 A2
Beeskow *D* 17 D3
Beesten *D* 7 E1
Behringersmühle *D* 21 E2
Beilen *NL* 7 D2
Beilngries *D* 27 F3
Bělá pod Bezdězem *CZ* 23 E3
Belecke *D* 13 F2
Beled *H* 39 D3
Belfort *F* 24 C1
Belgern *D* 16 C2
Belgirate *I* 33 F1
Bellágio *I* 34 A1
Bellano *I* 34 B1
Bellegarde-sur-Valserine *F* 32 A2
Belley *F* 32 A1
Bellinge *DK* 3 E3
Bellinzona *CH* 34 A1
Belluno *I* 36 A1
Bělotín *CZ* 31 E4
Beltinci *SLO* 38 C1
Beluša *SK* 31 F3
Belzig *D* 16 B3
Benatsky nad Jizerou *CZ* 23 E2
Benediktbeuern *D* 35 E4
Benešov *CZ* 23 E1
Benešov nad Ploučnicí *CZ* 23 D3
Benfeld *F* 25 E3
Benneckenstein *D* 15 D2
Bennstedt *D* 15 F2
Bensberg *D* 13 D1
Bensersiel *D* 7 F4
Bensheim *D* 19 F2
Berching *D* 27 F4
Berchtesgaden *D* 36 C4
Berg *D* 27 E1
Berg-Neustadt *D* 13 E1
Berga *D* 15 E2
Bergedorf *D* 9 D3
Bergen *NL* 6 A2
Bergen *D* 9 D1
Bergen *D* 9 E2
Bergen *D* 4 C1
Bergen aan Zee *NL* 6 A2
Bergheim *D* 12 C1
Bergisch Gladbach *D* 13 D1
Berglern *D* 28 A2
Bergum *NL* 6 C3
Bergün *CH* 34 B2
Beringen *B* 12 A2
Berkenthin *D* 9 E3
Berkheim *D* 26 C2
Berkhof *D* 8 C1
Berlin *D* 16 C4
Berlingen *CH* 26 B1
Bern *CH* 33 D3
Bernartice *CZ* 29 E4
Bernau *D* 36 B4
Bernau *D* 11 D1
Bernburg *D* 15 F2
Berndorf *A* 30 B1
Berne *D* 8 A2
Bernhardsthal *A* 31 D2
Bernkastel-Kues *D* 19 D3
Bernsdorf *D* 17 D1
Bernstein *A* 38 C3
Beromünster *CH* 33 E3
Beroun *CZ* 23 D2
Bersenbrück *D* 7 F1
Bertrix *B* 18 A3
Berwang *A* 35 D3
Besançon *F* 32 B4
Besigheim *D* 26 B4
Betzdorf *D* 13 E1
Beuel *D* 13 D1
Beuron *D* 26 B2
Beverstedt *D* 8 B3
Beverungen *D* 14 B2
Beverwijk *NL* 6 A2
Bevtoft *DK* 2 C3
Bex *CH* 32 C2
Bezau *A* 34 C4
Biasca *CH* 34 A2
Biberach *D* 25 E2
Biberach an der Riss *D* 26 C2
Bichl *D* 35 E4
Bieber *D* 20 B3
Biebersdorf *D* 17 D3
Biedenkopf *D* 14 A1

Biel/Bienne CH 33 D3
Bielefeld D 14 A3
Bienenbüttel D 9 D2
Bienne/Biel CH 33 D3
Biesenthal D 11 D1
Bietigheim D 26 B4
Bignasco CH 33 F1
Bílina CZ 23 D3
Billerbeck D 13 E3
Billund DK 2 C4
Bingen D 19 E2
Binz D 5 D1
Birkenfeld D 19 D2
Birkenwerder D 10 C1
Birkerød DK 4 B4
Birkfeld A 38 B3
Birnau D 26 B1
Bischofsgrün D 21 F2
Bischofsheim D 20 C3
Bischofshofen A 36 C3
Bischofswerda D 17 D1
Bismark D 9 F1
Bispingen D 9 D2
Bitburg D 18 C3
Bitche F 25 E4
Bítov CZ 30 B3
Bitterfeld D 16 B2
Blâmont F 25 D3
Blankenburg D 15 E3
Blankenfelde D 16 C3
Blankenhain D 21 E4
Blankenheim D 18 C4
Blansko CZ 30 C4
Blatná CZ 29 D4
Blatnice CZ 31 E3
Blaubeuren D 26 C2
Blaufelden D 20 C1
Blaustein D 26 C2
Blåvand DK 2 B4
Bleckede D 9 E2
Bled SLO 37 D1
Bleiburg A 37 F1
Bleicherode D 15 D2
Bletterans F 32 A3
Blexen D 8 B3
Blieskastel D 19 D1
Blokzijl NL 6 C2
Blomberg D 14 B3
Blovice CZ 22 C1
Bludenz A 34 C3
Blumberg D 25 F1
Bobingen D 27 E2
Bobitz D 9 F3
Böblingen D 26 B3
Bobrowice PL 17 F3
Bocholt D 13 D3
Bochov CZ 22 B2
Bochum D 13 D2
Bockel D 8 C2
Bockenem D 15 D3
Böckstein A 36 C3
Bockum-Hovel D 13 E3
Bodegraven NL 12 A4
Bodenmais D 28 C3
Bodenteich D 9 E1
Bodenwerder D 14 C3
Bodenwöhr D 28 B4
Bodman D 26 B1
Boëge F 32 B2
Bogatynia PL 23 E4
Bogdaniec PL 17 F4
Bogen D 28 B3
Bogense DK 3 D4
Bohdalov CZ 30 B4
Bohinjska Bistrica SLO 37 D1
Böhmenkirch D 26 C3
Bohmte D 14 A4
Böhönye H 39 E1
Boitzenburg D 11 D2
Boizenburg D 9 E3
Bøjden DK 3 D3
Bolemin PL 17 F4
Bolesławiec PL 17 F1
Boleszkowice PL 11 E1
Bologne F 24 A3
Bolsward NL 6 B3
Boltenhagen D 9 F4
Boltigen CH 33 D2
Bolzano/Bozen I 35 E2
Bonaduz CH 34 B2
Bonlieu F 32 A3
Bonn D 13 D1
Bonndorf D 25 F1
Bonneville F 32 B1
Bonyhád H 39 F1
Bopfingen D 27 D3
Boppard D 19 E3
Bor CZ 22 B1
Borchen D 14 A3
Borculo NL 13 D4
Bordesholm D 3 D1
Borgentreich D 14 B2
Borger NL 7 D2
Börger D 7 E2
Borgholzhausen D 14 A4
Borghorst D 13 E4
Borgo Valsugana I 35 E1
Borken D 14 B1
Borken D 13 D3
Børkop DK 3 D4
Borkum D 7 D4
Bórmio I 34 C2
Borna D 16 B1
Bornhöved D 9 D4
Börnicke D 10 C1
Borovany CZ 29 E3
Borrby S 5 E3
Borre DK 4 B2
Borup DK 4 B4
Boskoop NL 12 A4
Boskovice CZ 30 C4
Bőszénfa H 39 E1
Bottrop D 13 D3
Boudry CH 32 C3
Bouillon B 18 A3
Boulay-Moselle F 18 C1
Bourbonne-les-Bains F 24 B2
Bourmont F 24 A3
Bouxwiller F 25 E4
Bouzonville F 18 C1
Bovec SLO 36 C1
Bovrup DK 2 C3
Boxberg D 20 B1
Boxmeer NL 12 C3
Boxtel NL 12 B3
Bozen/Bolzano I 35 E2
Brackenheim D 26 B4
Brackwede D 14 A3
Brake D 8 A3
Brakel D 14 B3
Bramming DK 2 B4
Bramsche D 7 F1
Brand A 34 C3
Brand-Erbisdorf D 22 C4
Brandenberg A 36 A4
Brandenburg D 16 B4
Brandis D 16 C2
Brandýs n Labem CZ 23 E2
Brandýsek CZ 23 D2
Branišovice CZ 30 C3
Brankovice CZ 31 D3
Brannenburg D 36 A4
Branzi I 34 B1
Bratislava SK 31 D1
Braubach D 19 E3
Braunau A 28 C2
Braunfels D 19 F4
Braunlage D 15 D2
Braunschweig D 15 D4
Břeclav CZ 31 D3
Breda NL 12 A3
Bredebro DK 2 B3
Bredelar D 14 A2
Bredstedt D 2 C2
Bree B 12 B2
Bregenz A 34 C4
Brehna D 16 A2
Breisach D 25 E2
Breisen D 10 B1
Breitengussbach
Hallstadt D 21 D2
Bremen D 8 B2
Bremerhaven D 8 B3
Bremervörde D 8 C3
Bressanone/Brixen I 35 F2
Bretten D 26 A4
Breuil-Cervínia I 33 D1
Breuna D 14 B2
Březnice CZ 23 D1
Brezová SK 31 E2
Brienz CH 33 E3
Brieskow-Finkenheerd D 17 E3
Briey F 18 B1
Brig CH 33 E2
Brilon D 14 A2
Brinkum D 8 B2
Brissago CH 33 F1
Brixen/Bressanone I 35 F2
Brixlegg A 35 F3
Brněnec CZ 30 C4
Broager DK 3 D2
Bröckel D 15 D4
Brodenbach D 19 D3
Brody PL 17 E2
Brody PL 17 F3
Brohl D 19 D4
Brome D 9 E1
Brøns DK 2 B3
Brørup DK 2 C4
Brösarp S 5 E4
Brouvelieures F 24 C2
Brtnice CZ 30 B4
Bruchhausen-Vilsen D 8 B2
Bruchsal D 26 A4
Bruck D 28 B4
Brück D 16 B3
Bruck an der
Grossglocknerstrasse A 36 B3
Bruck an der Leitha A 31 D1
Bruck an der Mur A 38 A3
Brückl A 37 E2
Brüel D 10 A3
Brugg CH 33 E4
Brühl D 13 D1
Brumath F 25 E3
Brummen NL 12 C4
Brunau D 9 F1
Bruneck/Brunico I 35 F2
Brunico/Bruneck I 35 F2
Brunnen CH 33 F3
Brunnen CH 33 F3
Brunsbüttel D 8 C4
Brunssum NL 12 B1
Brüssow D 11 D2
Bruyères F 24 C2
Bučany SK 31 E2
Buchen D 20 B1
Buchen D 9 E3
Buchenwald D 15 E1
Buchholz D 9 D3
Buchloe D 27 D1
Buchs CH 34 B3
Bückeburg D 14 B4
Bücken D 8 B1
Buckow D 17 D4
Büdingen D 20 B3
Budyně nad Ohří CZ 23 D3
Bühl D 25 F3
Buitenpost NL 6 C3
Bülach CH 33 F4
Bulgnéville F 24 B3
Bulle CH 32 C2
Bunde D 7 E3
Bünde D 14 A4
Burbach D 19 E4
Büren CH 33 D3
Büren D 14 A2
Burg D 16 A3
Burg D 3 F1
Burg Stargard D 10 C3
Burg Vetschau D 17 D2
Burgau D 27 D2
Burgbernheim D 20 C1
Burgdorf CH 33 D3
Burgdorf D 15 D4
Burgebrach D 21 D2
Bürgel D 21 F4
Burghaun D 20 C4
Burghausen D 28 B2
Burgjoss D 20 B3
Burgkunstadt D 21 E2
Burglengenfeld D 28 A4
Burgsinn D 20 B3
Burladingen D 26 B2
Bürstadt D 19 F2
Busdorf D 2 C2
Bussang F 24 C2
Bussum NL 6 B1
Büsum D 2 B1
Bütgenbach B 18 C4
Buttelstedt D 15 E1
Buttstädt D 15 E1
Butzbach D 20 A3
Bützow D 10 A3
Buxtehude D 8 C3
Bybjerg DK 4 A4
Bylnice CZ 31 E3
Bystřice CZ 23 E1
Bystřice nad
Pernštejnem CZ 30 C4
Bystřice pod
Hostýnem CZ 31 E4
Bytča SK 31 F4
Bzenec CZ 31 D3

# C

Cadenábbia I 34 A1
Cadenberge D 8 B4
Čakajovce SK 31 F2
Cakovec HR 38 C1
Calau D 17 D2
Calbe D 15 F3
Calvörde D 15 E4
Calw D 26 A3
Camberg D 19 F3
Camburg D 15 F1
Campo Tures/
Sand in Taufers I 35 F2
Campocologno CH 34 C1
Canazei I 35 F1
Cánnero Riviera I 33 F1
Cannóbio I 33 F1
Capo di Ponte I 34 C1
Carbonin/
Schludersbach I 36 A2
Carignan F 18 A2
Carling F 18 C1
Carlow D 9 E3
Carnia I 36 C1
Carolinensiel D 7 F4
Casekow D 11 D2
Čáslav CZ 23 F2
Castricum NL 6 A2
Castrop-Rauxal D 13 E3
Cavalese I 35 E1
Čechtice CZ 23 E1
Cedynia PL 11 D1
Čejč CZ 31 D3
Čelákovice CZ 23 E2
Celerina CH 34 C2
Celje SLO 38 A1
Celldömölk H 39 D3
Celle D 9 D1
Cencenighe I 35 F1
Černá CZ 29 E3
Černá Hora CZ 30 C4
Cernay F 25 D1
Černošin CZ 22 B2
Černovice CZ 29 F4
Červená-Řečice CZ 23 F1
Česká Kamenice CZ 23 E4

Česká Lípa CZ 23 E3
České Budějovice CZ 29 E3
České Velenice CZ 29 F3
Český Brod CZ 23 E2
Český Krumlov CZ 29 E3
Chalampé F 25 D1
Cham D 28 B4
Cham CH 33 F3
Chambley-Bussières F 18 B1
Chamonix-Mont-Blanc F 32 C1
Champagnole F 32 A3
Champéry CH 32 C2
Champex CH 32 C1
Champlitte F 24 A1
Champlon B 18 A3
Champoluc I 33 D1
Charmes F 24 C3
Chassigny F 24 A2
Château d'Oex CH 32 C2
Château-Salins F 24 C4
Châtel F 32 C2
Châtel-St-Denis CH 32 C2
Châtenois F 24 B3
Chaumergy F 32 A3
Chaumont F 24 A3
Chaussin F 32 A3
Cheb CZ 22 A2
Chemnitz D 22 B4
Chiavenna I 34 B1
Chieming D 28 B1
Chiesa in Valmalenco I 34 B1
Chiusa/Klausen I 35 E2
Chiusaforte I 36 C1
Chlebowo PL 17 E3
Chlumec nad Cidlinou CZ 23 F2
Chociwel PL 11 F2
Chodová Planá CZ 22 B2
Chojna PL 11 E1
Chomutov CZ 22 C3
Choszczno PL 11 F2
Chotěboř CZ 23 F1
Choye F 24 A1
Chrastava CZ 23 E4
Christiansfeld DK 2 C3
Chur CH 34 B2
Chyňava CZ 23 D2
Chýnov CZ 29 F4
Ciney B 18 A4
Cínovec CZ 23 D3
Cirey F 25 D3
Clairvaux-les-Lacs F 32 A3
Clausthal-Zellerfeld D 15 D3
Clefmont F 24 A2
Clerval CH 32 C4
Clervaux L 18 B3
Cles I 35 E1
Cloppenburg D 7 F2
Cluses F 32 B1
Coburg D 21 E3
Cochem D 19 D3
Coesfeld D 13 D3
Coevorden NL 7 D2
Cölbe D 14 A1
Colbitz D 15 F4
Colditz D 16 B1
Colico I 34 B1
Colle Isarco/Gossensass I 35 E2
Collonges F 32 A2
Colmar F 25 D2
Colombey-les-Belles F 24 B3
Combeaufontaine F 24 B2
Commercy F 24 B4
Conflans F 18 B1
Contrexéville F 24 B3
Coppenbrügge D 14 C3
Corcieux F 25 D2
Cornimont F 24 C2
Cortina d'Ampezzo I 36 A2
Corvara in Badia I 35 F2
Cossonay CH 32 B3
Coswig D 16 B3
Cottbus D 17 E2
Courmayeur I 32 C1
Couvet CH 32 C3
Crailsheim D 27 D4
Crans CH 33 D2
Creglingen D 20 C1
Cresta CH 34 B2
Creussen D 21 E2
Creutzwald F 18 C1
Creuzburg D 15 D1
Crimmitschau D 22 A4
Crivitz D 9 F3
Črna SLO 37 F1
Cruseilles F 32 A1
Csór H 39 F3
Csorna H 39 D4
Cuijk NL 12 B3
Culemborg NL 12 B4
Culoz F 32 A1
Cuxhaven D 8 B4
Cvikov CZ 23 E3
Cybinka PL 17 E3

# D

Dąbie PL 11 E2
Dabo F 25 D3
Dachau D 27 E2
Dačice CZ 30 A3
Dahlen D 16 B1
Dahlenburg D 9 E2
Dahme D 16 C2
Dahme D 3 E1
Dahmen D 10 B3
Dahn D 25 E4
Dalby S 5 D4
Damme D 8 A1
Damp 2000 D 3 D2
Dampierre F 32 A4
Dampierre-sur-Salon F 24 A1
Damvillers F 18 A2
Dannemarie F 25 D1
Dannenberg D 9 E2
Dardesheim D 15 E3
Dargun D 10 C3
Därligen CH 33 D2
Darmstadt D 19 F2
Darney F 24 B2
Dasburg D 18 B3
Dasing D 27 E2
Dassel D 14 C3
Dassow D 9 E4
Dasswang D 27 F4
Datteln D 13 E3
Daun D 18 C3
Davle CZ 23 D2
Davos CH 34 C2
De Cocksdorp NL 6 B3
De Koog NL 6 A3
De Kooy NL 6 A2
Dębno PL 11 E1
Děčín CZ 23 D4
Dedemsvaart NL 7 D2
Degebüll D 2 B2
Degerndorf D 36 A4
Deggendorf D 28 C3
Deidesheim D 19 E1
Delbrück D 14 A3
Delden NL 13 D4
Delémont CH 33 D4
Delfzijl NL 7 E3
Delitzsch D 16 B2
Delle F 24 C1
Delme F 24 C4
Delmenhorst D 8 B2
Demmin D 10 C3
Den Burg NL 6 A3
Den Helder NL 6 A3
Den Oever NL 6 B2
Denekamp NL 7 D1
Denkendorf D 27 F3
Denzlingen D 25 E2
Dermbach D 20 C4
Derneburg D 15 D3
Dešov CZ 30 B3
Detmold D 14 B3
Dettelbach D 20 C2
Deurne NL 12 B3
Deutsch-Wagram A 30 C2
Deutschkreutz A 38 C4
Deutschlandsberg A 38 A2
Devecser H 39 E2
Deventer NL 6 C1
Dianalund DK 4 A4
Dieburg D 20 A2
Diekirch L 18 B3
Diemelstadt D 14 B2
Dienten A 36 C3
Diepholz D 8 A1
Dierdorf D 19 E4
Dieren NL 12 C4
Diesdorf D 9 E1
Diessen D 27 E1
Diest B 12 A2
Dietenheim D 26 C2
Dietfurt D 27 F3
Dietikon CH 33 F4
Dietmannsried D 27 D1
Dieulouard F 24 B4
Dieuze F 24 C4
Diever NL 6 C2
Diez D 19 E3
Differdange L 18 B2
Dignano I 36 B1
Dillenberg D 19 F4
Dillingen D 27 D3
Dillingen D 18 C1
Dimaro I 35 D1
Dingelstädt D 15 D2
Dingolfing D 28 B3
Dinkelsbühl D 27 D4
Dinklage D 7 F1
Dinozé F 24 C2
Dinslaken D 13 D3
Dippoldiswalde D 22 C4
Disentis/Mustér CH 34 A2
Ditzingen D 26 B3
Divonne-les-Bains F 32 B2
Dobbiaco/Toblach I 36 A2
Dobel D 26 A3
Döbeln D 16 C1
Doberlug Kirchhain D 16 C2
Döbern D 17 E2
Dobersberg A 30 A3
Dobra PL 11 F3
Döbriach A 37 D2
Dobřichovice CZ 23 D2
Dobříš CZ 23 D1
Dobrzany PL 11 F2
Doesburg NL 12 C4
Doetinchem NL 12 C4
Dokkum NL 6 C3
Doksy CZ 23 E3
Dole F 32 A4
Dolga Vas SLO 38 C1
Dolice PL 11 F2
Döllach A 36 B2
Döllbach D 20 C3
Dolle D 15 F4
Döllstädt D 15 D1
Dolní Dvonste CZ 29 E2
Domažlice CZ 28 C4
Dombasle F 24 C3
Dombóvár H 39 F1
Dombrot-le-Sec F 24 B2
Domèvre-en-Haye F 24 B4
Dömitz D 9 E2
Dommitzsch D 16 B2
Domodóssola I 33 E1
Dompaire F 24 B3
Domrémy-la-Pucelle F 24 B3
Domžale SLO 37 E1
Donaueschingen D 25 F2
Donaustauf D 28 B3
Donauwörth D 27 E3
Donnersbach A 37 D3
Doorn NL 12 B4
Dordrecht NL 12 A4
Dorfen D 28 A2
Dorfmark D 8 C2
Dormagen D 13 D2
Dornauberg A 35 F3
Dornbirn A 34 C4
Dornburg D 21 F4
Dorndorf D 20 C4
Dornstetten D 26 A3
Dornum D 7 E4
Dörpen D 7 E2
Dörpstedt D 2 C2
Dorsten D 13 D3
Dortan F 32 A2
Dortmund D 13 E2
Dorum D 8 B3
Dörverden D 8 B2
Dörzbach D 20 B1
Doucier F 32 A3
Doulaincourt F 24 A3
Douvaine F 32 B2
Drachselsried D 28 C3
Drachten NL 6 C3
Dragør DK 4 C4
Drahonice CZ 29 E4
Drahovce SK 31 E2
Dransfeld D 14 C2
Dranske D 4 C2
Drasenhofen A 30 C3
Dravograd SLO 37 F1
Draženov CZ 22 B1
Drebkau D 17 D2
Dreilingen D 9 D2
Drensteinfurt D 13 E3
Dresden D 23 D4
Drewitz D 16 A3
Drewitz D 16 C4
Driebergen NL 12 B4
Drnholec CZ 30 C3
Drochtersen D 8 C3
Dronten NL 6 C1
Drosendorf Stadt A 30 B3
Drosselbjerg DK 3 F4
Drusenheim F 25 E3
Druten NL 12 B4
Dubá CZ 23 E3
Duben D 17 D3
Dubnica nad Váhom SK 31 F3
Ducherow D 11 D3
Dudelange L 18 B2
Duderstadt D 15 D2
Düdingen CH 33 D3
Duingt F 32 B1
Duisburg D 13 D2
Dülken D 12 C2
Dülmen D 13 E3
Dun F 18 A2
Dunajská Streda SK 31 E1
Durbuy B 18 A4
Düren D 12 C1
Dürnkrut A 31 D2
Dürnstein A 30 B2
Düsseldorf D 13 D2
Dwingeloo NL 7 D2
Dziwnów PL 11 E4

# E

Ebelsbach D 21 D2
Eben im Pongau A 36 C3
Ebenfurth A 38 C4
Ebensee A 37 D4
Eberbach D 20 A1
Ebermannstadt D 21 E2
Ebern D 21 D2
Ebersbach D 23 E4
Ebersberg D 28 A1
Eberschwang A 29 D1
Ebersdorf D 8 B3
Eberstein A 37 E2

Eberswalde *D* 11 D1
Ebingen *D* 26 B2
Ebrach *D* 21 D2
Ebreichsdorf *A* 30 C1
Ebstorf *D* 9 D2
Echallens *CH* 32 C3
Echallon *F* 32 A2
Echternach *L* 18 C2
Eckartsberga *D* 15 F1
Eckernförde *D* 3 D2
Ecthe *D* 14 C3
Edam *NL* 6 B2
Ede *NL* 12 B4
Edenkoben *D* 19 E1
Edersee *D* 14 B1
Edewecht *D* 7 F2
Édolo *I* 34 C1
Eferding *A* 29 D2
Egeln *D* 15 E3
Egernsund *DK* 3 D2
Egervár *H* 39 D2
Egestorf *D* 9 D2
Egg *A* 34 C4
Eggenburg *A* 30 B2
Eggenfelden *D* 28 B2
Eggesin *D* 11 D3
Eghezée *B* 12 A1
Egmond aan Zee *NL* 6 A2
Egtved *DK* 2 C4
Ehingen *D* 26 C2
Ehnen *L* 18 B2
Ehra-Lessien *D* 9 E1
Ehrwald *A* 35 E3
Eibenstock *D* 22 B3
Eibergen *NL* 13 D4
Eibiswald *A* 38 A2
Eich *D* 19 F2
Eichendorf *D* 28 C2
Eichstätt *D* 27 E3
Eigenrieden *D* 15 D1
Eilenburg *D* 16 B2
Eilsleben *D* 15 E3
Einbeck *D* 14 C3
Eindhoven *NL* 12 B3
Einsiedeln *CH* 34 A3
Eisenach *D* 15 D1
Eisenberg *D* 21 F4
Eisenerz *A* 37 F3
Eisenhüttenstadt *D* 17 E3
Eisenkappel *A* 37 E1
Eisenstadt *A* 38 C4
Eisfeld *D* 21 D3
Eislingen *D* 26 C3
Eitorf *D* 13 D1
Elbigenalp *A* 35 D3
Elbingerode *D* 15 E3
Elburg *NL* 6 C1
Eldena *D* 9 F2
Elgg *CH* 34 A4
Ellenberg *D* 27 D4
Ellingen *D* 27 E4
Ellrich *D* 15 D2
Ellwangen *D* 27 D3
Elmpt *D* 12 C2
Elmshorn *D* 8 C3
Elsdorf *D* 12 C1
Elsfleth *D* 8 A3
Elst *NL* 12 B4
Elster *D* 16 B2
Elsterberg *D* 22 A3
Elsterwerda *D* 16 C2
Elten *D* 12 C3
Eltmann *D* 21 D2
Eltville *D* 19 E3
Elzach *D* 25 E2
Elze *D* 14 C3
Emden *D* 7 E3
Emlichheim *D* 7 D1
Emmeloord *NL* 6 C2
Emmen *NL* 7 D2
Emmendingen *D* 25 E2
Emmerich *D* 12 C3
Emsdetten *D* 13 E4
Emskirchen *D* 21 D1
Emstek *D* 8 A2
Endelave By *DK* 3 E4
Enese *H* 39 E4
Engelberg *CH* 33 F3
Engelhartszell *A* 29 D2
Engelskirchen *D* 13 E1
Engen *D* 26 A1
Enger *D* 14 A4
Engstingen *D* 26 B2
Enkhuizen *NL* 6 B2
Enns *A* 29 E2
Enschede *NL* 13 D4
Ensisheim *F* 25 D2
Entlebuch *CH* 33 E3
Entrèves *I* 32 C1
Enying *H* 39 F2
Epe *D* 13 D4
Epe *NL* 6 C1
Épinal *F* 24 C2
Eppan/Appiano *I* 35 E1
Eppingen *D* 26 B4
Erbach *D* 20 A2
Erbendorf *D* 21 F2
Erding *D* 28 A2
Erfde *D* 2 C1
Erftstadt *D* 12 C1
Erfurt *D* 15 E1
Ergoldsbach *D* 28 B3
Erkelenz *D* 12 C2
Erlangen *D* 21 D1
Erlenbach *D* 20 B2
Erlsbach *A* 36 A2
Ermelo *NL* 6 B1
Ermsleben *D* 15 E2
Erndtebrück *D* 13 F1
Ernstbrunn *A* 30 C2
Erstein *F* 25 E3
Erwitte *D* 13 F2
Erxleben *D* 15 E3
Esbjerg *DK* 2 B4
Esch-sur-Alzette *L* 18 B2
Esch-sur-Sûre *L* 18 B3
Eschede *D* 9 D1
Eschenbach *D* 21 F2
Eschenburg-Eibelshausen *D* 19 F4
Eschenlohe *D* 35 E4
Eschershausen *D* 14 C3
Eschwege *D* 14 C1
Eschweiler *D* 12 C1
Esens *D* 7 F4
Eslohe *D* 13 F2
Eslöv *S* 5 D4
Espelkamp *D* 14 A4
Essen *D* 13 D2
Essen *D* 7 F2
Essenbach *D* 28 B3
Esslingen *D* 26 B3
Estavayer-le-Lac *CH* 32 C3
Esterwegen *D* 7 E2
Etain *F* 18 A1
Etalle *B* 18 A2
Ettelbruck *L* 18 B3
Ettenheim *D* 25 E2
Ettlingen *D* 25 F4
Eupen *B* 12 B1
Euratsfeld *A* 29 F1
Euskirchen *D* 18 C4
Eussenhausen *D* 21 D3
Eutin *D* 9 E4
Eutzsch *D* 16 B2
Evendorf *D* 9 D2
Evian-les-Bains *F* 32 B2
Evolène *CH* 33 D1
Extertal *D* 14 B3

## F

Faaborg *DK* 3 D3
Faido *CH* 33 F2
Fakse *DK* 4 B3
Fakse Ladeplads *DK* 4 B3
Falcade *I* 35 F1
Falkenberg *D* 16 C2
Falkenstein *D* 22 A3
Fallersleben *D* 15 E4
Fallingbostel *D* 8 C2
Falsterbo *S* 4 C3
Farébersviller *F* 18 C1
Farkasgyepü *H* 39 E3
Farum *DK* 4 B4
Faucogney-et-la-Mer *F* 24 C2
Faulensee *CH* 33 D2
Faulquemont *F* 24 C4
Faverges *F* 32 B1
Faverney *F* 24 B2
Fayl-Billot *F* 24 A2
Fehrbellin *D* 10 B1
Fehring *A* 38 B2
Feld *A* 37 D2
Feldafing *D* 27 E1
Feldbach *A* 38 B2
Feldberg *D* 25 E1
Feldberg *D* 10 C2
Feldkirch *A* 34 B3
Feldkirchen *A* 37 D2
Feldkirchen *D* 27 F1
Feldsted *DK* 2 C3
Fellbach *D* 26 B3
Fenékpuszta *H* 39 D2
Fénétrange *F* 25 D4
Ferdinandshof *D* 11 D3
Ferleiten *A* 36 B3
Ferrette *F* 33 D4
Fertőszentmiklós *H* 39 D3
Feucht *D* 21 E1
Feuchtwangen *D* 27 D4
Fieberbrunn *A* 36 B3
Fiera di Primiero *I* 35 F1
Fiesch *CH* 33 E2
Finnentrop *D* 13 E2
Finow *D* 11 D1
Finsterwalde *D* 17 D2
Fischamend *A* 30 C1
Fischbach *D* 25 E4
Fischbeck *D* 16 A4
Fischen *D* 34 C4
Fladungen *D* 20 C3
Flaine *F* 32 B1
Flavigny-sur-Moselle *F* 24 C3
Flensburg *D* 2 C2
Fleurier *CH* 32 C3
Flims Waldhaus *CH* 34 B2
Flöha *D* 22 C4
Florenville *B* 18 A2
Florstadt *D* 20 A3
Flüelen *CH* 33 F3
Flumet *F* 32 B1
Flums *CH* 34 B3
Fockbek *D* 2 C1
Fohnsdorf *A* 37 E3
Foldingbro *DK* 2 C4
Folmava *CZ* 28 C4
Fondo *I* 35 E1
Fontaine-Française *F* 24 A1
Fonyód *H* 39 E2
Fóppolo *I* 34 B1
Forbach *F* 18 C1
Forbach *D* 25 F3
Forchheim *D* 21 E2
Formazza *I* 33 E2
Forni di Sopra *I* 36 B1
Forno di Zoldo *I* 36 A1
Forst *D* 17 E2
Forth *D* 21 E1
Fougerolles *F* 24 C2
Foulain *F* 24 A2
Fraize *F* 25 D2
Frammersbach *D* 20 B3
Franeker *NL* 6 C3
Frangy *F* 32 A1
Frankenberg *D* 14 A1
Frankenberg *D* 22 B4
Frankenburg *A* 28 C1
Frankenmarkt *A* 28 C1
Frankenthal *D* 19 F2
Frankfurt (Oder) *D* 17 E3
Frankfurt-am-Main *D* 20 A3
Františkovy Lázně *CZ* 22 A2
Franz Josephs-Höhe *A* 36 B3
Franzburg *D* 10 C4
Frasdorf *D* 36 B4
Frauenau *D* 28 C3
Frauenfeld *CH* 34 A4
Frauenstein *D* 22 C4
Frechen *D* 13 D1
Freckenhorst *D* 13 F3
Fredensborg *DK* 4 B4
Fredericia *DK* 3 D4
Frederiksberg *DK* 4 A3
Frederikssund *DK* 4 B4
Freiberg *D* 22 C4
Freiburg *D* 8 C4
Freiburg im Breisgau *D* 25 E2
Freihung *D* 21 F1
Freilassing *D* 28 C1
Freising *D* 27 F2
Freistadt *A* 29 E2
Freital *D* 22 C4
Frenštát pod Radhoštěm *CZ* 31 F4
Freren *D* 7 E1
Fresnes *F* 24 B2
Fresnes-en-Woëvre *F* 18 A1
Fretigney-et-Velloreille *F* 24 B1
Fretzdorf *D* 10 B2
Freudenberg *D* 20 B2
Freudenberg *D* 13 E1
Freudenstadt *D* 25 F3
Freyenstein *D* 10 B2
Freyming Merlebach *F* 18 C1
Freystadt *D* 27 E4
Freyung *D* 29 D3
Fribourg *CH* 32 C3
Frick *CH* 33 E4
Fridingen *D* 26 A2
Friedberg *D* 27 E2
Friedberg *D* 20 A3
Friedberg *A* 38 B3
Friedeburg *D* 7 F3
Friedersdorf *D* 17 D3
Friedewald *D* 20 C4
Friedland *D* 14 C2
Friedland *D* 11 D3
Friedland *D* 17 D3
Friedrichroda *D* 21 D4
Friedrichshafen *D* 34 B4
Friedrichskoog *D* 8 B4
Friedrichsort *D* 3 D1
Friedrichstadt *D* 2 C1
Friesach *A* 37 E2
Friesack *D* 10 B1
Friesoythe *D* 7 F2
Fritzlar *D* 14 B1
Frohburg *D* 16 B1
Frohnleiten *A* 38 A3
Frontenhausen *D* 28 B2
Frutigen *CH* 33 D2
Frýdlant *CZ* 23 F4
Frymburk *CZ* 29 E2
Fügen *A* 35 F3
Fuglebjerg *DK* 4 A3
Fuhrberg *D* 8 C1
Fulda *D* 20 C3
Fulpmes *A* 35 E3
Fürstenau *D* 7 E1
Fürstenberg *D* 10 C2
Fürstenfeld *A* 38 B2
Fürstenfeldbruck *D* 27 E2
Fürstenwalde *D* 17 D4
Fürstenwerder *D* 11 D2
Fürstenzell *D* 28 C2
Fürth *D* 21 D1
Furth im Wald *D* 28 C4
Furtwangen *D* 25 F2
Fusch *A* 36 B3
Füssen *D* 35 D4
Fynshav *DK* 3 D3

# G

Gabčíkovo SK 39 E4
Gadebusch D 9 E3
Gaggenau D 25 F3
Gaildorf D 26 C4
Gajary SK 31 D2
Galanta SK 31 E1
Gallneukirchen A 29 E2
Galtür A 34 C3
Gaming A 29 F1
Gammertingen D 26 B2
Gams CH 34 B3
Ganacker D 28 B3
Ganderkesee D 8 B2
Gandria CH 34 A1
Gangkofen D 28 B2
Gänserndorf A 30 C2
Garching D 28 B1
Gardelegen D 15 F4
Garding D 2 B1
Gårdstånga S 5 D4
Gargellen A 34 C3
Garlstorf D 9 D2
Garmisch Partenkirchen D 35 E4
Garrel D 7 F2
Gars am Kamp A 30 B2
Garsnas S 5 E3
Gartow D 9 F2
Gartringen D 26 B3
Gartz D 11 E2
Garz D 4 C1
Gaschurn A 34 C3
Gasztony H 38 C2
Gebesee D 15 E1
Gedern D 20 B3
Gedser DK 4 A2
Geel B 12 A2
Geertruidenberg NL 12 A3
Geesthacht D 9 D3
Gefell D 21 F3
Gefrees D 21 F2
Gehren D 21 E4
Geilenkirchen D 12 C2
Geisa D 20 C4
Geiselhöring D 28 B3
Geisenfeld D 27 F3
Geisenhausen D 28 B2
Geisingen D 26 A1
Geislingen D 26 C3
Geithain D 16 B1
Geldern D 12 C3
Geldrop NL 12 B3
Geleen NL 12 B2
Gelnhausen D 20 B3
Gelsenkirchen D 13 D3
Gelting D 3 D2
Gemert NL 12 B3
Gemona del Friuli I 36 C1
Gemünd D 18 C4
Gemunden D 20 C2
Gemünden D 14 B1
Gemünden D 19 D2
Genève CH 32 B2
Genk B 12 B2
Gennep NL 12 C3
Genthin D 16 A4
Georgsheil D 7 E3
Gera D 22 A4
Gerabronn D 26 C4
Gérardmer F 24 C2
Geras A 30 B3
Gerbéviller F 24 C3
Gerbstedt D 15 F2
Gerchsheim D 20 C2
Geretsried D 27 E1
Gerlos A 36 A3
Germay F 24 A3
Germersheim D 19 E1
Gernrode D 15 E2
Gernsbach D 25 F3
Gernsheim D 19 F2
Gerolstein D 18 C3
Gerolzhofen D 20 C2
Gersfeld D 20 C3
Gersthofen D 27 E2
Gescher D 13 D3
Geseke D 14 A3
Gettorf D 3 D1
Gex F 32 B2
Gföhl A 30 A2
Gic H 39 E3
Gieboldehausen D 15 D2
Giengen D 27 D3
Gieselwerder D 14 C2
Giessen D 20 A4
Gieten NL 7 D2
Giethoorn NL 6 C2
Gifhorn D 15 D4
Giornico CH 34 A2
Giromagny F 24 C1
Gislev DK 3 E3
Givry-en-Argonne F 24 A4
Gladbeck D 13 D3
Gladenbach D 20 A4
Glamsbjerg DK 3 D3
Glandorf D 13 F4
Glarus CH 34 A3
Glashütte D 23 D4
Glauchau D 22 B4
Gleisdorf A 38 B3
Gletsch CH 33 E2
Glewitz D 10 C4
Gloggnitz A 38 B4
Glostrup DK 4 B4
Glowe D 5 D1
Glöwen D 10 A1
Glücksburg D 2 C2
Glückstadt D 8 C4
Glumsø DK 4 A3
Gmünd A 36 C2
Gmund D 35 F4
Gmünd A 29 F3
Gmunden A 29 D1
Gnarrenburg D 8 B3
Gnoien D 10 B4
Goch D 12 C3
Godelheim D 14 B3
Gödre H 39 F1
Göhren D 5 D1
Goirle NL 12 A3
Gokels D 2 C1
Golchen D 10 C3
Golčův Jeníkov CZ 23 F1
Golczewo PL 11 F3
Goldbach D 20 B2
Goldberg D 10 A3
Goldelund D 2 C2
Goldenstedt D 8 A2
Goleniów PL 11 E3
Gollhofen D 20 C1
Golling A 36 C4
Golssen D 16 C3
Golzow D 16 B3
Gommern D 15 F3
Gondrecourt F 24 A3
Goor NL 13 D4
Göpfritz A 30 A3
Goppenstein CH 33 D2
Göppingen D 26 C3
Goričan HR 38 C1
Gorinchem NL 12 A4
Göritz D 11 D2
Gørlev DK 3 F4
Görlitz D 17 E1
Gornja Radgona SLO 38 B2
Gorredijk NL 6 C2
Görzke D 16 B3
Gorzów Wielkopolski PL 11 F1
Górzyca PL 17 E4
Gosau A 37 D4
Göschenen CH 33 F2
Goslar D 15 D3
Gossau CH 34 B4
Gossensass/ Colle Isarco I 35 E2
Gössl A 37 D4
Gössweinstein D 21 E2
Göstling A 37 F4
Gotha D 21 D4
Göttingen D 14 C2
Götzis A 34 B3
Gouda NL 12 A4
Goumois CH 32 C4
Gozdnica PL 17 F2
Graal-Müritz D 4 B1
Grabow D 9 F2
Grächen CH 33 D1
Grafenau D 28 C3
Gräfenberg D 21 E1
Gräfenhainichen D 16 B2
Grafenwöhr D 21 F1
Grafing D 28 A1
Grafrath D 27 E2
Gram DK 2 C3
Grametten A 30 A3
Gramkow D 9 F4
Gramzow D 11 D2
Granges-sur-Vologne F 24 C2
Gransee D 10 C2
Grassau D 36 B4
Gråsten DK 2 C3
Gratkorn A 38 A3
Grave NL 12 B3
Gravedona I 34 B1
Gravellona-Toce I 33 E1
Gray F 24 A1
Graz A 38 A2
Grebenstein D 14 B2
Greding D 27 F4
Greetsiel D 7 E3
Greifenburg A 36 C2
Greiffenberg D 11 D2
Greifswald D 10 C4
Grein A 29 F2
Greiz D 22 A3
Grenchen CH 33 D4
Gressoney-la-Trinité I 33 D1
Gresten A 29 F1
Greussen D 15 E1
Greve Strand DK 4 B4
Greven D 13 E4
Grevenbroich D 12 C2
Grevenbrück D 13 E2
Grevenmacher L 18 C2
Grevesmühlen D 9 E4
Gries in Sellrain A 35 E3
Gries-am-Brenner A 35 E3
Griesbach D 28 C2
Grieskirchen A 29 D2
Griffen A 37 E2
Grimma D 16 B1
Grimmen D 10 C4
Grindelwald CH 33 E2
Grindsted DK 2 C4
Gröbers D 16 A2
Gröbming A 37 D3
Gröditz D 16 C2
Groenlo NL 13 D4
Grömitz D 9 E4
Gronau D 13 D4
Gronau D 14 C3
Groningen NL 7 D3
Gröningen D 15 E3
Grósio I 34 C1
Gross Oesingen D 9 D1
Gross Räschen D 17 D2
Gross Schönebeck D 10 C1
Gross-Gerau D 19 F2
Gross-Gerungs A 29 F2
Gross-Siegharts A 30 A3
Gross-Umstadt D 20 A2
Grossarl A 36 C3
Grossbeeren D 16 C4
Grossbreitenbach D 21 E3
Grossburgwedel D 14 C4
Grossenbrode D 3 E1
Grossenhain D 16 C1
Grossenkneten D 8 A2
Grossenzersdorf A 30 C1
Grosshabersdorf D 21 D1
Grosshöchstetten CH 33 D3
Grosspetersdorf A 38 C3
Grossraming A 29 E1
Grostenquin F 25 D4
Grouw NL 6 C3
Grünau A 37 D4
Grünberg D 20 A4
Grünburg A 29 E1
Grundlsee A 37 D4
Grünenplan D 14 C3
Grünheide D 17 D4
Grünstadt D 19 E2
Grüsch CH 34 B3
Gruyères CH 32 C2
Gryfice PL 11 F3
Gryfino PL 11 E2
Gryfów Śląski PL 23 F4
Gschnitz A 35 E3
Gschwend D 26 C3
Gstaad CH 33 D2
Gstadt D 28 B1
Gsteig CH 33 D2
Guben D 17 E3
Gubin PL 17 E3
Gudhjem DK 5 F3
Gudow D 9 E3
Guebwiller F 25 D2
Güglingen D 26 B4
Guldborg DK 4 A2
Gummersbach D 13 E1
Gumpoldskirchen A 30 C1
Gumtow D 10 B2
Gundelfingen D 27 D3
Gundelsheim D 20 B1
Gunten CH 33 D3
Güntersberge D 15 E2
Guntersblum D 19 F2
Günzburg D 27 D2
Gunzenhausen D 27 E4
Gurk A 37 E2
Gurtnellen CH 33 F2
Güssing A 38 C2
Güstrow D 10 B3
Gutenstein A 38 B4
Gütersloh D 14 A3
Guttannen CH 33 E2
Gützkow D 10 C3
Gwatt CH 33 D3
Gy F 24 A1
Győr H 39 E4

# H

Haag D 28 A2
Haag A 29 E1
Haag am Hausruck A 29 D2
Haaksbergen NL 13 D4
Haar D 27 F2
Haarby DK 3 D3
Haaren D 14 A2
Haarlem NL 6 A1
Habartice CZ 23 F4
Habay B 18 A2
Hachenburg D 19 E4
Hachmühlen D 14 C3
Hadamar D 19 E3
Haderslev DK 2 C3
Hadmersleben D 15 E3
Hagen D 13 E2
Hagen D 8 B3
Hagenow D 9 E3
Hagondange F 18 B1
Haguenau F 25 E3
Hahn D 8 A3
Hahnbach D 21 F1
Hahót H 39 D2
Haigerloch D 26 A2

Hainburg *A* 31 D1
Hainfeld *A* 30 B1
Hainichen *D* 22 C4
Halámky *CZ* 29 F3
Halberstadt *D* 15 E3
Haldensee *A* 35 D4
Haldensleben *D* 15 F4
Halk *DK* 3 D3
Hall in Tirol *A* 35 E3
Halle *D* 16 A2
Halle *D* 14 A3
Hallein *A* 36 C4
Hallenberg *D* 14 A1
Hallstatt *A* 37 D4
Halsskov *DK* 3 F3
Haltern *D* 13 D3
Halver *D* 13 E2
Hambergen *D* 8 B3
Hamburg *D* 9 D3
Hamdorf *D* 2 C1
Hämeler Wald *D* 15 D4
Hameln *D* 14 B3
Hamersleben *D* 15 E3
Hamm *D* 13 E3
Hammelburg *D* 20 C3
Hamminkeln *D* 13 D3
Hamoir *B* 18 B4
Han-sur-Lesse *B* 18 A3
Hanau *D* 20 A3
Handegg *CH* 33 E2
Hanerau-
Hademarschen *D* 2 C1
Hankensbüttel *D* 9 D1
Hann-Münden *D* 14 C2
Hannover *D* 14 C4
Hannuit (Hannut) *B* 12 A1
Hannut (Hannuit) *B* 12 A1
Hanstedt *D* 9 D2
Harburg *D* 27 D3
Harburg *D* 9 D3
Hardegg *A* 30 B3
Hardegsen *D* 14 C2
Hardenberg *NL* 7 D1
Harderwijk *NL* 6 B1
Hardeshøj *DK* 3 D3
Hardheim *D* 20 B2
Haren *NL* 7 D3
Haren *D* 7 E2
Haren *NL* 7 D3
Hårlev *DK* 4 B3
Harlingen *NL* 6 B3
Harlösa *S* 5 D4
Harndrup *DK* 3 D4
Haroué *F* 24 B3
Harpstedt *D* 8 B2
Harrachov *CZ* 23 F3
Harsefeld *D* 8 C3
Harsewinkel *D* 13 F3
Harsum *D* 14 C4
Hartberg *A* 38 B3
Hartha *D* 16 B1
Hartmannshain *D* 20 B3
Harzgerode *D* 15 E2
Haselund *D* 2 C2
Haselünne *D* 7 E1
Haslach *D* 25 E2
Haslach *A* 29 D2
Hasle *DK* 5 E3
Haslev *DK* 4 B3
Hassel *D* 8 B2
Hasselfelde *D* 15 E2
Hasselt *B* 12 A2
Hasselt *NL* 6 C2
Hassfurt *D* 21 D2
Hasslach *D* 21 E3
Hassleben *D* 11 D2
Hatě *CZ* 30 B3
Hattem *NL* 6 C1
Hattingen *D* 13 D2
Hattstedt *D* 2 C2
Haugsdorf *A* 30 B2
Haunersdorf *D* 28 B2
Hausach *D* 25 F2
Häusern *D* 25 E1
Hausham *D* 35 F4
Haute-Nendaz *CH* 33 D1
Havelange *B* 18 A4
Havelberg *D* 10 A1
Havlęíčkův Brod *CZ* 22 C1
Havlíčkův Brod *CZ* 23 F1
Havneby *DK* 2 B3
Havnsø *DK* 3 F4
Hayange *F* 18 B2
Hazlov *CZ* 22 A2
Hechingen *D* 26 B2
Hechtel *B* 12 A2
Hedehusene *DK* 4 B4
Hedensted *DK* 3 D4
Heek *D* 13 D4
Heemstede *NL* 6 A1
Heerde *NL* 6 C1
Heerenveen *NL* 6 C2
Heerlen *NL* 12 B1
Heeze *NL* 12 B2
Hegyeshalom *H* 31 D1
Hegyhátsál *H* 38 C2
Heide *D* 2 C1
Heidelberg *D* 19 F1
Heiden *D* 13 D3
Heidenau *D* 23 D4
Heidenheim *D* 27 D3
Heidenreichstein *A* 30 A3
Heikendorf *D* 3 D1
Heilbronn *D* 26 B4
Heiligenberg *D* 26 B1
Heiligenblut *A* 36 B3
Heiligenhafen *D* 3 E1
Heiligenkreuz *A* 38 C2
Heiligenstadt *D* 14 C2
Heilsbronn *D* 27 E4
Heimertingen *D* 26 C2
Heino *NL* 6 C1
Heinsberg *D* 12 C2
Heiterwang *A* 35 D4
Hejlsminde *DK* 3 D3
Heldrungen *D* 15 E1
Hellendoorn *NL* 7 D1
Helmond *NL* 12 B3
Helmstedt *D* 15 E3
Helsa *D* 14 C2
Hemau *D* 28 A3
Hemer *D* 13 E2
Hèming *F* 25 D3
Hemmoor *D* 8 C3
Hemslingen *D* 8 C2
Hengelo *NL* 13 D4
Hengersberg *D* 28 C3
Henne Strand *DK* 2 B4
Henneberg *D* 21 D3
Hennef *D* 13 D1
Henstedt-Ulzburg *D* 9 D3
Heppenheim *D* 19 F2
Herbertingen *D* 26 B2
Herbesthal *B* 12 B1
Herbeumont *B* 18 A3
Herborn *D* 19 F4
Herbrechtingen *D* 27 D3
Herend *H* 39 E3
Herentals *B* 12 A2
Herfølge *DK* 4 B3
Herford *D* 14 A3
Hergiswil *CH* 33 E3
Héricourt *F* 24 C1
Heringsdorf *D* 11 D3
Herisau *CH* 34 B4
Herleshausen *D* 14 C1
Hermagor *A* 36 C2
Hermannsburg *D* 9 D1
Heřmanův Městec *CZ* 23 F2
Hermeskeil *D* 18 C2
Herne *D* 13 D2
Heroldsberg *D* 21 E1
Herrenberg *D* 26 B3
Herrnburg *D* 9 E3
Herrnhut *D* 23 E4
Herrsching *D* 27 E1
Hersbruck *D* 21 E1
Herselt *B* 12 A2
Herzberg *D* 15 D2
Herzberg *D* 16 C2
Herzberg *D* 10 C1
Herzfelde *D* 17 D4
Herzlake *D* 7 E1
Herzogenaurach *D* 21 D1
Herzogenburg *A* 30 B2
Herzsprung *D* 10 B2
Hesel *D* 7 E3
Hesnæs *DK* 4 B2
Hess Oldendorf *D* 14 B4
Hessich-Lichtenau *D* 14 C1
Hettange-Grande *F* 18 B2
Hettstedt *D* 15 F2
Heustreu *D* 20 C3
Hévíz *H* 39 D2
Hevlín *CZ* 30 C3
Hieflau *A* 37 F4
Hilchenbach *D* 13 F1
Hildburghausen *D* 21 D3
Hilden *D* 13 D2
Hilders *D* 20 C3
Hildesheim *D* 14 C3
Hillegom *NL* 6 A1
Hillerød *DK* 4 B4
Hilpoltstein *D* 27 E4
Hilterfingen *CH* 33 D3
Hilvarenbeek *NL* 12 A3
Hilversum *NL* 6 B1
Himmelpforten *D* 8 C3
Hindelang *D* 35 D4
Hinterrhein *CH* 34 A2
Hintersee *D* 11 E3
Hinterstoder *A* 37 E4
Hinterthal *A* 36 C3
Hintertux *A* 35 F3
Hinterweidenthal *D* 19 E1
Hinterzarten *D* 25 E2
Hirschaid *D* 21 D2
Hirschau *D* 21 F1
Hirschberg *D* 21 F3
Hirschegg *A* 34 C3
Hirschhorn *D* 20 A1
Hirsingue *F* 25 D1
Hitzacker *D* 9 E2
Hjerpsted *DK* 2 B3
Hjerting *DK* 2 B4
Hjorte *DK* 3 D3
Hlohovec *SK* 31 E2
Hluboká nad Vltavou *CZ* 29 E3
Höchberg *D* 20 C2
Hochburg *A* 28 C1
Hochdonn *D* 8 C4
Hochdorf *CH* 33 E3
Höchenschwand *D* 25 E1
Hochfelden *F* 25 E3
Hochspeyer *D* 19 E1
Höchst *D* 20 A2
Höchstädt *D* 27 D3
Höchstadt *D* 21 D2
Hockenheim *D* 19 F1
Hodenhagen *D* 8 C1
Hodkovice nad
Mohelkou *CZ* 23 F3
Hodonín *CZ* 31 D3
Hodoš *SLO* 38 C2
Hodošan *HR* 38 C1
Hof *D* 21 F3
Hofgeismar *D* 14 B2
Hofheim *D* 21 D2
Hőgyész *H* 39 F1
Hohenau *A* 31 D2
Hohenberg *A* 30 B1
Hohenbrunn *D* 27 F1
Hohenems *A* 34 C4
Höhenkirchen *D* 27 F1
Hohenlimburg *D* 13 E2
Hohenlinden *D* 28 A2
Hohenlockstedt *D* 8 C4
Hohenpeissenberg *D* 27 E1
Hohenschwangau *D* 35 D4
Hohentauern *A* 37 E3
Hohenwestedt *D* 8 C4
Hohwacht *D* 3 E1
Højer *DK* 2 B3
Højerup *DK* 4 B3
Holbæk *DK* 4 A4
Holdorf *D* 7 F1
Holeby *DK* 3 F2
Holešov *CZ* 31 E4
Holíč *SK* 31 D3
Hollabrunn *A* 30 B2
Hollád *H* 39 D2
Hollenstedt *D* 8 C3
Hollfeld *D* 21 E2
Hollum *NL* 6 C3
Höllviksnäs *S* 4 C3
Holmec *SLO* 37 F1
Holsted *DK* 2 C4
Holten *NL* 6 C1
Holwerd *NL* 6 C3
Holzdorf *D* 16 C2
Holzgau *A* 35 D3
Holzkirchen *D* 27 F1
Holzminden *D* 14 C3
Homberg *D* 14 B1
Homberg *D* 20 B4
Homburg *D* 19 D1
Hönebach *D* 14 C1
Høng *DK* 3 F4
Hoogeveen *NL* 7 D2
Hoogezand *NL* 7 D3
Hoogkarspel *NL* 6 B2
Hoogstraten *B* 12 A3
Hooksiel *D* 8 A3
Höör *S* 5 D4
Hoorn *NL* 6 B2
Hopfgarten *A* 36 A3
Hopsten *D* 7 E1
Hoptrup *DK* 2 C3
Hora-Sv-Šebestiána *CZ* 22 C3
Horažd'ovice *CZ* 29 D4
Horb *D* 26 A3
Horbelev *DK* 4 B2
Hörby *S* 5 D4
Horgen *CH* 33 F3
Hořice *CZ* 23 F3
Horitschon *A* 38 C3
Horn *D* 26 A1
Horn *A* 30 B2
Horn *D* 14 B3
Hornberg *D* 25 F2
Hornburg *D* 15 D3
Horne *DK* 3 D3
Horneburg *D* 8 C3
Horní Cerekev *CZ* 30 A4
Horní Lideč *CZ* 31 F3
Horní Planá *CZ* 29 D3
Horní Vltavice *CZ* 29 D3
Hörnum *D* 2 B2
Hořovice *CZ* 23 D2
Hørsholm *DK* 4 B4
Horslunde *DK* 3 F3
Horšovský Týn *CZ* 22 B1
Horst *NL* 12 C3
Horst *D* 9 E3
Hörstel *D* 13 E4
Horstmar *D* 13 E4
Hørve *DK* 4 A4
Horw *CH* 33 E3
Hospental *CH* 33 F2
Hostomice *CZ* 23 D2
Hotton *B* 18 A4
Houdelaincourt *F* 24 A3
Houffalize *B* 18 B3
Hove *DK* 4 A4
Hövelhof *D* 14 A3
Höxter *D* 14 B3
Hoya *D* 8 B2
Hoyerswerda *D* 17 D2
Hrádek *CZ* 30 C3
Hrádek nad Nisou *CZ* 23 E4
Hranice *CZ* 31 E4
Hřensko *CZ* 23 D4
Hrob *CZ* 23 D3
Hrotovice *CZ* 30 B3
Hrušovany *CZ* 30 C3
Huben *A* 36 B2

Hüfingen D 25 F2
Huizen NL 6 A2
Huizen NL 6 B1
Hulín CZ 31 E4
Hulk CZ 31 E3
Humble DK 3 E2
Humlebæk DK 4 B4
Humpolec CZ 23 F1
Hünfeld D 20 C4
Hungen D 20 A3
Hurbanovo SK 39 F4
Hurva S 5 D4
Husinec CZ 29 D3
Hustopeče CZ 30 C3
Husum D 2 C2
Hüttschlag A 36 C3
Huttwil CH 33 E3
Huy B 18 A4

# I

Ibbenburen D 13 E4
Ichenhausen D 27 D2
Idar-Oberstein D 19 D2
Idstein D 19 F3
Igal H 39 E1
Igls A 35 E3
Iharosberény H 39 D1
IJmuiden NL 6 A2
Ilanz CH 34 B2
Illertissen D 26 C2
Illingen D 26 B4
Illmitz A 39 D4
Ilmenau D 21 D4
Iłowa PL 17 F2
Ilsenburg D 15 D3
Ilshofen D 26 C4
Immenstaad D 26 B1
Immenstadt D 34 C4
Imst A 35 D3
Ingelheim D 19 E2
Ingolstadt D 27 F3
Ingwiller F 25 E4
Innertkirchen CH 33 E2
Innichen/San Candido I 36 A2
Inning D 27 E1
Innsbruck A 35 E3
Ins CH 32 C3
Insko PL 11 F2
Interlaken CH 33 E2
Intra I 33 F1
Inzell D 36 B4
Iphofen D 20 C2
Irdning A 37 D3
Iregszemcse H 39 F2
Ischgl A 34 C3
Iselle I 33 E1
Iselsberg A 36 B2
Iserlohn D 13 E2
Ismaning D 27 F2
Isny D 34 C4
Isselburg D 12 C3
Istha D 14 B2
Itzehoe D 8 C4
Ivančice CZ 30 C3
Izernore F 32 A2

# J

Jablonec nad Nisou CZ 23 F3
Jablonica SK 31 E2
Jablonné v Podještědí CZ 23 E3
Jáchymov CZ 22 B3
Jade D 8 A3
Jagel D 2 C2
Jægerspris DK 4 B4
Jagsthausen D 20 B1
Jakuszyce PL 23 F4
Jánosháza H 39 D3
Jánossomorja H 39 D4
Janovice nad Úhlavou CZ 28 C4
Jarmen D 10 C3
Jarny F 18 B1
Jaroměřice nad Rokytnou CZ 30 B3
Jasień PL 17 F2
Jaun CH 33 D2
Jävenitz D 15 F4
Jedovnice CZ 31 D4
Jelling DK 2 C4
Jels DK 2 C3
Jemnice CZ 30 B3
Jena D 21 F4
Jenbach A 35 F3
Jeneč CZ 23 D2
Jennersdorf A 38 C2
Jerichow D 16 A4
Jerxheim D 15 E3
Jesberg D 14 B1
Jesenice A 37 D1
Jesenice CZ 22 C2
Jessen D 16 B2
Jevenstedt D 2 C1
Jever D 7 F3
Jevíčko CZ 30 C4
Jevišovice CZ 30 B3
Jezersko SLO 37 E1
Jičín CZ 23 F3
Jihlava CZ 30 B4
Jilemnice CZ 23 F3
Jílové u Prahy CZ 23 E2
Jimramov CZ 30 C4
Jince CZ 23 D1
Jindřichův Hradec CZ 29 F3
Jirkov CZ 22 C3
Joachimsthal D 11 D1
Jodoigne B 12 A1
Johanngeorgenstadt D 22 B3
Joinville F 24 A3
Jördenstorf D 10 B3
Jougne F 32 B3
Joure NL 6 C2
Judenburg A 37 E3
Juelsminde DK 3 D4
Juist D 7 E4
Jülich D 12 C1
Jussey F 24 B2
Jüterbog D 16 C3
Jyderup DK 3 F4
Jyllinge DK 4 B4

# K

Kaarssen D 9 E2
Kaatsheuvel NL 12 A3
Kácov CZ 23 E1
Kadaň CZ 22 C3
Kadarkút H 39 E1
Kågeröd S 4 C4
Kahla D 21 F4
Kaindorf A 38 B3
Kaisersesch D 19 D3
Kaiserslautern D 19 E1
Kaisheim D 27 E3
Kalbe D 9 F1
Kalkar D 12 C3
Kallmünz D 28 A4
Kalná nad Hronom SK 31 F1
Kals A 36 B2
Kalsdorf A 38 A2
Kaltenkirchen D 9 D4
Kaltennordheim D 20 C4
Kalundborg DK 3 F4
Kalvehave DK 4 B2
Kalwang A 37 E3
Kám H 39 D2
Kamen D 13 E3
Kámen CZ 29 F4
Kamenice nad Lipou CZ 29 F4
Kamenný Újezd CZ 29 E3
Kamenz D 17 D1
Kamień Pomorski PL 11 E3
Kamnik SLO 37 E1
Kamp Lintfort D 12 C3
Kampen NL 6 C2
Kampen D 2 B3
Kandel D 25 F4
Kandern D 25 E1
Kandersteg CH 33 D2
Kapfenberg A 38 A3
Kaplice CZ 29 E3
Kaposvár H 39 E1
Kappeln D 3 D2
Kaprun A 36 B3
Kapuvar H 39 D4
Kardašova-Řečice CZ 29 F4
Karise DK 4 B3
Karlovy Vary CZ 22 B2
Karlshafen D 14 C2
Karlslunde Strand DK 4 B4
Karlsruhe D 25 F4
Karlstadt D 20 C2
Karlštejn CZ 23 D2
Karlstift A 29 F2
Karow D 10 B3
Karrebæksminde DK 4 A3
Karstadt D 10 A2
Kasejovice CZ 29 D4
Kašperské Hory CZ 29 D4
Kassel D 14 B2
Kastellaun D 19 D3
Kasterlee B 12 A2
Kastl D 27 F4
Kastorf D 9 E3
Kastrup DK 4 C4
Katerbow D 10 B2
Katlenburg-Duhm D 14 C2
Katovice CZ 29 D4
Kaub D 19 E3
Kaufbeuren D 27 D1
Kaufering D 27 E2
Kaufungen D 14 C2
Kauns A 35 D3
Kävlinge S 4 C4
Kaysersberg F 25 D2
Kaznějov CZ 22 C2
Kdyně CZ 28 C4
Kefermarkt A 29 E2
Kehl D 25 E3
Kelberg D 19 D3
Kelbra D 15 E2
Kelheim D 28 A3
Kellenhusen D 3 E1
Kellinghusen D 8 C4
Kemberg D 16 B2
Kemnath D 21 F2
Kemnitz D 11 D4
Kempen D 12 C2
Kempten D 27 D1
Kenzingen D 25 E2
Kerken D 12 C2
Kerkrade NL 12 B1
Kerpen D 12 C1
Kerteminde DK 3 E4
Kerzers CH 33 D3
Keszthely H 39 D2
Kettwig D 13 D2
Ketzin D 16 B4
Keula D 15 D2
Kevelaer D 12 C3
Kiefersfelden D 36 A4
Kiel D 3 D1
Kiental CH 33 D2
Kindberg A 38 A3
Kindelbrück D 15 E1
Kirchbach A 38 B2
Kirchberg A 36 B3
Kirchberg D 19 D3
Kirchberg D 26 C4
Kirchberg an der Pielach A 30 A1
Kirchdorf an der Krems A 29 E1
Kirchenlamitz D 21 F2
Kirchenthumbach D 21 F2
Kirchhain D 20 B4
Kirchheim D 20 B4
Kirchheim unter Teck D 26 B3
Kirchheimbolanden D 19 E2
Kirchlinteln D 8 C2
Kirchschlag A 38 C3
Kirchundem D 13 F1
Kirke Hvalsø DK 4 A4
Kirn D 19 D2
Kirtorf D 20 B4
Kisbér H 39 F3
Kisslegg D 26 C1
Kittsee A 31 D2
Kitzbühel A 36 B3
Kitzingen D 20 C2
Kladno CZ 23 D2
Klagenfurt A 37 E2
Klanxbüll D 2 B3
Klášterec nad Ohří CZ 22 C3
Klatovy CZ 28 C4
Klaus an der Pyhrnbahn A 37 E4
Klausdorf D 16 C3
Klausen/Chiusa I 35 E2
Klazienaveen NL 7 D2
Kleinhaugsdorf A 30 B3
Klemensker DK 5 E3
Klenči CZ 28 C4
Kleve D 12 C3
Kliczków PL 17 F1
Klietz D 10 A1
Klingenbach A 38 C4
Klingenthal D 22 B3
Klink D 10 B3
Klixbüll D 2 B2
Kłodawa PL 11 F1
Klösterle A 34 C3
Klosterneuburg A 30 C2
Klosters CH 34 C2
Klötze D 9 E1
Klütz D 9 E4
Kniebis D 25 F3
Knittelfeld A 37 F3
Knudshoved DK 3 E3
Kobarid SLO 36 C1
København DK 4 B4
Koblenz D 19 E3
Kochel D 35 E4
Köflach A 37 F2
Køge DK 4 B3
Kojetín CZ 31 D4
Kolárovo SK 39 F4
Kołbaskowo PL 11 E2
Kolbermoor D 28 A1
Kolby Kås DK 3 E4
Kołczewo PL 11 E3
Kolding DK 2 C4
Kolín CZ 23 F2
Kölleda D 15 E1
Kollund DK 2 C2
Köln D 13 D1
Koloveč CZ 22 B1
Komárno SK 39 F4
Komárom H 39 F4
Komló H 39 F1
Køng DK 4 A3
Konice CZ 31 D4
Königs-Wusterhausen D 17 D3
Königsbrück D 17 D1
Königsbrunn D 27 E2
Königsee D 21 E4
Königsfeld D 25 F2
Königshofen D 20 B1
Königslutter D 15 E4
Königssee D 36 C4
Königstein D 19 F3
Königstein D 23 D4
Königswiesen A 29 F2
Königswinter D 19 D4

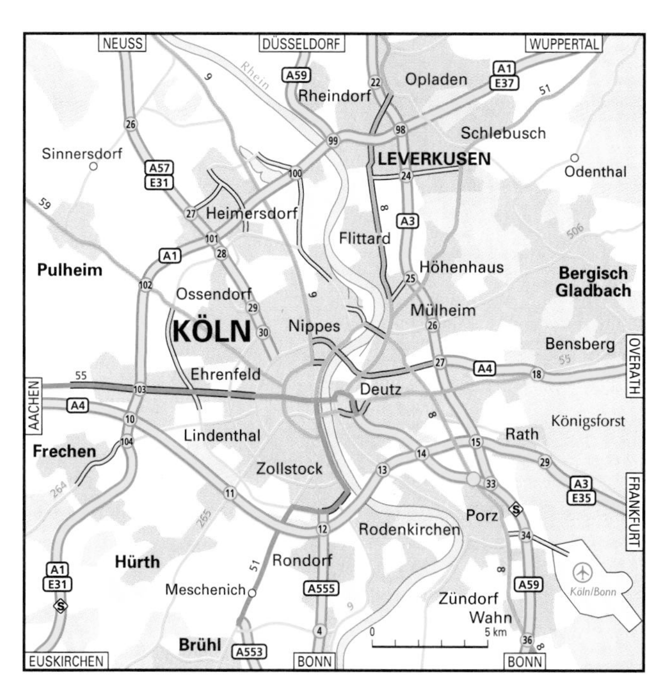
NEUSS
DÜSSELDORF
WUPPERTAL
Rhein
A59
Opladen
A1
E37
Rheindorf
Schlebusch
Sinnersdorf
A57
E31
LEVERKUSEN
Odenthal
Heimersdorf
A3
Flittard
A1
Pulheim
Höhenhaus
Bergisch
Gladbach
Ossendorf
KÖLN
Nippes
Mülheim
Bensberg
OVERATH
AACHEN
A4
Ehrenfeld
Deutz
A4
Lindenthal
Königsforst
Rath
Frechen
Zollstock
A3
E35
FRANKFURT
Porz
Rodenkirchen
Hürth
Rondorf
A1
E31
Meschenich
A555
A59
Zündorf
Köln/Bonn
Wahn
5 km
Brühl
A553
EUSKIRCHEN
BONN
BONN

Köniz *CH* 33 D3
Könnern *D* 15 F2
Konopište *CZ* 23 E1
Konstanz *D* 26 B1
Konz *D* 18 C2
Köpernitz *D* 10 C2
Kópháza *H* 38 C4
Kopidlno *CZ* 23 F3
Kopperby *D* 3 D2
Koprivnica *HR* 39 D1
Korbach *D* 14 B2
Korczyców *PL* 17 E3
Korinth *DK* 3 E3
Körmend *H* 38 C2
Korneuburg *A* 30 C2
Kornwestheim *D* 26 B3
Korpavár *H* 39 D1
Korsør *DK* 3 F3
Korup *DK* 3 E4
Koryčany *CZ* 31 D3
Koserow *D* 11 D4
Košetice *CZ* 23 F1
Kössen *A* 36 B4
Kostelec nad Černými *CZ* 23 E2
Kostelec nad Labem *CZ* 23 E2
Kostrzyn *PL* 17 E4
Kőszeg *H* 38 C3
Köthen *D* 16 A2
Kötschach-Mauthen *A* 36 C2
Kotten *NL* 13 D3
Kötzting *D* 28 C4
Kozolupy *CZ* 22 C1
Kożuchów *PL* 17 F2
Kragenæs *DK* 3 F2
Krajnik Dolny *PL* 11 E2
Krakow am See *D* 10 B3
Kralovice *CZ* 22 C2
Kralupy nad Vltavou *CZ* 23 D2
Kranenburg *D* 12 C3
Kranichfeld *D* 21 E4
Kranj *SLO* 37 E1
Kranjska Gora *SLO* 37 D1
Krapina *HR* 38 B1
Kraslice *CZ* 22 B3
Krásná Lípa *CZ* 23 E4
Krauchenwies *D* 26 B2
Krefeld *D* 12 C2
Kremmen *D* 10 C1
Krems *A* 30 B2
Kremsmünster *A* 29 E1
Kreuth *D* 35 F4
Kreuzlingen *CH* 26 B1
Kreuztal *D* 13 E1
Krieglach *A* 38 B3
Krimml *A* 36 A3
Krimpen aan den IJssel *NL* 12 A4
Kristinehov *S* 5 D4
Křivoklát *CZ* 23 D2
Křižanov *CZ* 30 B4
Kroměříž *CZ* 31 E4
Kronach *D* 21 E3
Kröpelin *D* 10 A4
Kropp *D* 2 C1
Kroppenstedt *D* 15 E3
Kropstädt *D* 16 B3
Krosno Odrzanskie *PL* 17 F3
Krumbach *D* 27 D2
Krumpendorf *A* 37 E2
Krün *D* 35 E4
Krupá *CZ* 22 C2
Kruså *DK* 2 C2
Krzęcin *PL* 11 F2
Krzeszyce *PL* 17 F4
Küblis *CH* 34 C3
Kuchl *A* 36 C4
Kufstein *A* 36 A4
Kühlungsborn *D* 10 A4
Kuhstedt *D* 8 B3
Kühtai *A* 35 E3
Kulhuse *DK* 4 B4
Kulmbach *D* 21 E2
Kunovice *CZ* 31 E3
Kunrau *D* 15 E4
Kunštát *CZ* 30 C4
Kunžak *CZ* 30 A3
Künzelsau *D* 26 C4
Kupferberg *D* 21 E2
Kupferzell *D* 26 C4
Kurd *H* 39 F1
Kuřim *CZ* 30 C4
Kusel *D* 19 D2
Küssnacht *CH* 33 F3
Kutná Hora *CZ* 23 F2
Kúty *SK* 31 D2
Kværndrup *DK* 3 E3
Kyjov *CZ* 31 D3
Kyllburg *D* 18 C3
Kyritz *D* 10 B1
Kyšice *CZ* 23 D2

L'Isle-sur-le-Doubs *F* 24 C1
La Bresse *F* 24 C2
La Chaux-de-Fonds *CH* 32 C3
La Clusaz *F* 32 B1
La Cluse *F* 32 A2
La Cluse-et-Mijoux *F* 32 B3
La Cure *F* 32 B2
La Neuveville *CH* 32 C3
La Petite-Pierre *F* 25 D4
La Punt *CH* 34 C2
La Roche-en-Ardenne *B* 18 A3
La Roche-sur-Foron *F* 32 B1
La Thuile *I* 32 C1
La Wantzenau *F* 25 E3
Laa an der Thaya *A* 30 C2
Laage *D* 10 B4
Laakirchen *A* 29 D1
Laarbruch *D* 12 C3
Lábod *H* 39 E1
Laboe *D* 3 D1
Ladbergen *D* 13 E4
Ladby *DK* 3 E3
Laferté *F* 24 A2
Lage *D* 14 B3
Łagów *PL* 17 F3
Lahnstein *D* 19 E3
Lahr *D* 25 E2
Laichingen *D* 26 C2
Laimbach *A* 29 F2
Lakolk *DK* 2 B3
Lam *D* 28 C4
Lamarche *F* 24 B2
Lambach *A* 29 D1
Lambrecht *D* 19 E1
Lamprechtshausen *A* 28 C1
Lamsfeld *D* 17 D3
Lamstedt *D* 8 B3
Lana *I* 35 E2
Landau *D* 28 B3
Landau *D* 19 E1
Landeck *A* 35 D3
Landesbergen *D* 8 B1
Landkirchen *D* 3 F1
Landquart *CH* 34 B3
Landsberg *D* 27 E1
Landsberg *D* 16 A2
Landshut *D* 28 A2
Landskrona *S* 4 C4
Landstuhl *D* 19 D1
Langballig *D* 3 D2
Langelsheim *D* 15 D3
Langen *A* 34 C3
Langen *D* 20 A2
Langen *D* 8 B3
Langenargen *D* 34 B4
Langenau *D* 26 C2
Langenburg *D* 26 C4
Längenfeld *A* 35 E3
Langenfeld *D* 13 D2
Langenhahn *D* 19 E4
Langenisarhofen *D* 28 C3
Langenlois *A* 30 B2
Langennaundorf *D* 16 C2
Langenselbold *D* 20 B3
Langenthal *CH* 33 E3
Langenwang *A* 38 B3
Langenzenn *D* 21 D1
Langeoog *D* 7 E4
Langeskov *DK* 3 E3
Langewiese *D* 14 A2
Langnau im Emmental *CH* 33 E3
Langø *DK* 3 E2
Langquaid *D* 28 A3
Langres *F* 24 A2
Langula *D* 15 D1
Langwarden *D* 8 A3
Langwedel *D* 8 B2
Langweid *D* 27 E2
Lanžhot *CZ* 31 D3
Lapoutroie *F* 25 D2
Larochette *L* 18 B2
Laško *SLO* 38 A1
Lassan *D* 11 D3
Lastrup *D* 7 F2
Lathen *D* 7 E2
Laucha *D* 15 F1
Lauchhammer *D* 17 D2
Lauenau *D* 14 C4
Lauenburg *D* 9 D3
Lauenstein *D* 23 D4
Lauf *D* 21 E1
Laufen *CH* 33 D4
Laufen *D* 28 C1
Laufenburg *D* 25 E1
Laufenburg *CH* 33 E4
Lauffen *D* 26 B4
Lauingen *D* 27 D3
Laupen *CH* 33 D3
Laupheim *D* 26 C2
Lausanne *CH* 32 C2
Lauterbach *D* 20 B4
Lauterbourg *F* 25 F4
Lauterbrunnen *CH* 33 E2
Lauterecken *D* 19 D2
Lauterhofen *D* 27 F4
Lauwersoog *NL* 7 D3
Lavamünd *A* 37 F2
Lavelsloh *D* 14 B4
Lavis *I* 35 E1
Làzne Kynžvart *CZ* 22 B2

Le Bourget F 32 A1
Le Châtelard F 32 A1
Le Hohwald F 25 D3
Le Locle CH 32 C3
Le Markstein F 25 D2
Le Russey F 32 C4
Le Thillot F 24 C2
Lebach D 18 C2
Lebus D 17 E4
Lech A 34 C3
Lechovice CZ 30 C3
Leck D 2 C2
Łęczyca PL 11 F2
Ledeč nad Sázavou CZ 23 F1
Leek NL 7 D3
Leer D 7 E3
Leerdam NL 12 A4
Leese D 8 B1
Leeuwarden NL 6 C3
Legden D 13 D4
Lehnice SK 31 E1
Lehnin D 16 B3
Lehrberg D 21 D1
Lehre D 15 D4
Lehrte D 14 C4
Leibnitz A 38 B2
Leiden NL 6 A1
Leinefelde D 15 D2
Leipheim D 27 D2
Leipzig D 16 B1
Leisnig D 16 B1
Leissigen CH 33 D2
Leitzkau D 16 A3
Leknica PL 17 E2
Lelystad NL 6 B1
Lembach F 25 E4
Lemförde D 8 A1
Lemgo D 14 B3
Lemke D 8 B1
Lemmer NL 6 C2
Lenart SLO 38 B1
Lend A 36 C3
Lendava SLO 38 C1
Lengerich D 13 F4
Lenggries D 35 F4
Lengyeltóti H 39 E2
Lenk CH 33 D2
Lenna I 34 B1
Lenno I 34 A1
Lenora CZ 29 D3
Lensahn D 3 E1
Lentföhrden D 9 D4
Lenti H 38 C1
Lenting D 27 F3
Lenzburg CH 33 E4
Lenzen D 9 F2
Lenzerheide CH 34 B2
Lenzkirch D 25 F1
Leoben A 37 F3
Leogang A 36 B3
Leonberg D 26 B3
Leopoldsburg B 12 A2
Leopoldsdorf A 30 C1
Lepoglava HR 38 B1
Lepsény H 39 F2
Lermoos A 35 D3
Les Contamines-Montjoie F 32 B1
Les Diablerets CH 32 C2
Les Gets F 32 B2
Les Haudères CH 33 D1
Les Houches F 32 C1
Les Planches-en-Montagne F 32 B3
Les Rousses F 32 B2
Les Trois-Epis F 25 D2
Lésna PL 23 F4
Lésniów Wielki PL 17 F3
Lesum D 8 B2
Letenye H 38 C1
Letmathe D 13 E2
Letovice CZ 30 C4
Letschin D 17 E4
Leuk CH 33 D2
Leukerbad CH 33 D2
Leuna D 16 A1
Leutasch A 35 E3
Leutenberg D 21 E3
Leutkirch D 26 C1
Leutschach A 38 A2
Leverkusen D 13 D1
Levier F 32 B3
Leysin CH 32 C2
Libáň CZ 23 F3
Liberec CZ 23 F3
Libochovice CZ 23 D3
Libramont B 18 A3
Lich D 20 A3
Lichtenau D 14 B2
Lichtenberg D 21 F3
Lichtenfels D 21 E2
Lichtenstein D 22 B4
Lichtenvoorde NL 13 D4
Liebenau D 8 B1
Liebenwalde D 10 C1
Lieberose D 17 E3
Liège (Luik) B 12 B1
Lienz A 36 B2
Liestal CH 33 E4
Liezen A 37 E4
Ligneuville B 18 B4
Ligny-en-Barrois F 24 A4
Lilienfeld A 30 B1
Lille DK 4 B4
Lillerød DK 4 B4
Limburg D 19 E3
Limhamn S 4 C4
Lindau D 34 C4
Lindau D 16 A3
Lindenberg D 34 C4
Lindenfels D 20 A2
Linderhof D 35 E4
Lindern D 7 F2
Lindow D 10 C1
Lingen D 7 E1
Linthal CH 34 A3
Lintzel D 9 D2
Linz D 19 D4
Linz A 29 E2
Lipiany PL 11 F1
Lipinki Łużyckie PL 17 E2
Lipník nad Bečvou CZ 31 E4
Lipno CZ 29 E2
Lippstadt D 13 F3
Liselund DK 4 B2
Lišov CZ 29 E3
Lisse NL 6 A1
List D 2 B3
Litoměřice CZ 23 D3
Litvínov CZ 22 C3
Livigno I 34 C2
Ljubelj SLO 37 E1
Ljubno SLO 37 F1
Ljutomer SLO 38 C1
Lnáře CZ 29 D4
Löbau D 17 E1
Lobenstein D 21 F3
Löbnitz D 4 B1
Loburg D 16 A3
Locarno CH 33 F1
Loccum D 14 B4
Lochem NL 12 C4
Lockenhaus A 38 C3
Löcknitz D 11 E2
Löderup S 5 E3
Lofer A 36 B4
Loga D 7 E3
Løgumkloster DK 2 C3
Lohals DK 3 E3
Lohberg D 28 C4
Löhne D 14 B4
Lohne D 8 A1
Lohnsfeld D 19 E2
Lohr D 20 B2
Loitz D 10 C4
Lojt Kirkeby DK 2 C3
Lomma S 4 C4
Lommel B 12 A2
Lomnice nad Lužnicí CZ 29 F3
Longarone I 36 A1
Longeau F 24 A2
Longuyon F 18 A2
Longwy F 18 B2
Löningen D 7 F2
Lons-le-Saunier F 32 A3
Loosdorf A 30 A1
Lorcé B 18 B4
Lorch D 26 C3
Lorch D 19 E3
Lorentzen F 25 D4
Lörrach D 25 E1
Lorup D 7 E2
Losenstein A 29 E1
Losheim D 18 C2
Losheim D 18 C4
Lossburg D 25 F3
Lotte D 13 F4
Louny CZ 23 D3
Lovasberény H 39 F3
Lövő H 39 D3
Lovosice CZ 23 D3
Löwenberg D 10 C1
Lozzo di Cadore I 36 B1
Lubań PL 17 F1
Lübbecke D 14 A4
Lübben D 17 D3
Lübbenau D 17 D2
Lübbow D 9 E2
Lübeck D 9 E4
Lubenec CZ 22 C2
Lubieszyn PL 11 E2
Lubniewice PL 17 F4
Lubsko PL 17 E2
Lübtheen D 9 E2
Lübz D 10 A3
Lüchow D 9 E2
Luckau D 17 D2
Luckenwalde D 16 C3
Lückstedt D 9 F1
Ludbreg HR 38 C1
Lüdenscheid D 13 E2
Lüderitz D 15 F4
Lüdinghausen D 13 E3
Ludwigsburg D 26 B3
Ludwigshafen D 19 F1
Ludwigshafen D 26 B1
Ludwigslust D 9 F2
Ludwigsstadt D 21 E3
Lugano CH 34 A1
Lügde D 14 B3
Luik (Liège) B 12 B1
Luino I 33 F1
Lukovica SLO 37 E1
Lummen B 12 A2
Lund S 4 C4
Lundeborg DK 3 E3
Lunden D 2 C1
Lüneburg D 9 D2
Lünen D 13 E3
Lunéville F 24 C3
Lungern CH 33 E3
Lünne D 7 E1
Lunz A 37 F4
Lure F 24 C1
Lustenau A 34 C4
Lutherstadt Eisleben D 15 F2
Lutherstadt Wittenberg D 16 B3
Lütjenburg D 3 E1
Lützen D 16 A1
Lutzmannsburg A 38 C3
Lützow D 9 E3
Luxembourg L 18 B2
Luxeuil-les-Bains F 24 C2
Luzern CH 33 E3
Lwówek Śląski PL 23 F4
Lychen D 10 C2
Lysá nad Labem CZ 23 E2
Lyss CH 33 D3

# M

Maaseik B 12 B2
Maasmechelen B 12 B2
Maastricht NL 12 B1
Mackenrode D 15 D2
Macugnaga I 33 E1
Made NL 12 A3
Madésimo I 34 B2
Madonna di Campiglio I 35 D1
Magdeburg D 15 F3
Maglehem S 5 E4
Maglehøj Strand DK 3 F2
Maîche F 32 C4
Maienfeld CH 34 B3
Mainburg D 27 F3
Mainz D 19 F3
Maisach D 27 E2
Maissau A 30 B2
Makov SK 31 F4
Malacky SK 31 D2
Malbuisson F 32 B3
Malchin D 10 B3
Malchow D 10 B3
Malé I 35 D1
Malente-Gremsmühlen D 3 E1
Mallersdorf D 28 B3
Málles Venosta/Mals im Vinschgau I 35 D2
Mallnitz A 36 C2
Malmédy B 18 B4
Malmö S 4 C4
Maloja CH 34 B2
Mals im Vinschgau/Málles Venosta I 35 D2
Malšice CZ 29 E4
Manching D 27 F3
Manderscheid D 18 C3
Manětín CZ 22 C2
Mánfa H 39 F1
Maniago I 36 B1
Mank A 30 A1
Mannheim D 19 F1
Manschnow D 17 E4
Mansfeld D 15 E2
Marbach D 26 B4
Marburg D 20 A4
Marcali H 39 E1
Marchaux F 32 B4
Marche-en-Famenne B 18 A3
Marchegg A 31 D2
Marckolsheim F 25 E2
Marebbe/St Vigil I 35 F2
Maria Laach D 19 D3
Maria Taferl A 30 A2
Maria Wörth A 37 D2
Mariánské Lázně CZ 22 B2
Mariazell A 38 A4
Maribo DK 3 F2
Maribor SLO 38 B1
Marieholm S 4 C4
Marielyst DK 4 A2
Marienberg D 22 C3
Marienborn D 15 E3
Markdorf D 26 B1
Märkisch Buchholz D 17 D3
Markleugast D 21 F2
Markneukirchen D 22 A3
Markranstädt D 16 A1
Markt Bibart D 21 D1
Markt Erlbach D 21 D1
Markt St Florian A 29 E1
Markt St Martin A 38 C3
Markt-Indersdorf D 27 E2
Marktbreit D 20 C2
Marktheidenfeld D 20 B2
Marktl D 28 B2
Marktoberdorf D 27 D1
Marktredwitz D 22 A2
Marktzeuln D 21 E2

Marl *D* 13 D3
Marlenheim *F* 25 E3
Marlow *D* 10 B4
Marmoutier *F* 25 D3
Marnay *F* 32 A4
Marne *D* 8 B4
Marnitz *D* 10 A2
Marquartstein *D* 36 B4
Marsberg *D* 14 B2
Marstal *DK* 3 E2
Martelange *B* 18 B3
Martigny *CH* 32 C1
Martina/
Martinsbruck *CH* 35 D2
Martinsbruck/
Martina *CH* 35 D2
Martofte *DK* 3 E4
Marxwalde *D* 17 D4
Marxzell *D* 26 A3
Marzahna *D* 16 B3
Marzahne *D* 16 B4
Maschen *D* 9 D3
Masevaux *F* 25 D1
Maszecwo *PL* 17 E3
Maszewo *PL* 11 F2
Mathay *F* 32 C4
Matrei am Brenner *A* 35 E3
Matrei in Osttirol *A* 36 B2
Mattersburg *A* 38 C4
Mattighofen *A* 28 C1
Mattsee *A* 28 C1
Mauerkirchen *A* 28 C2
Maulbronn *D* 26 A4
Mautern *A* 37 F3
Mauterndorf *A* 37 D3
Mauth *D* 29 D3
Mauthausen *A* 29 E2
Mauvoisin *CH* 33 D1
Mayen *D* 19 D3
Mayrhofen *A* 35 F3
Mechernich *D* 18 C4
Meckenbeuren *D* 26 B1
Medebach *D* 14 A2
Medemblik *NL* 6 B2
Medved'ov *SK* 39 E4
Medvode *SLO* 37 E1
Meerane *D* 22 B4
Meersburg *D* 26 B1
Megève *F* 32 B1
Meijel *NL* 12 B2
Meilen *CH* 33 F3
Meine *D* 15 D4
Meinerzhagen *D* 13 E2
Meiningen *D* 21 D3
Meiringen *CH* 33 E2
Meisenheim *D* 19 E2
Meissen *D* 16 C1
Meitingen *D* 27 E2
Mel *I* 36 A1
Melbeck *D* 9 D2
Meldorf *D* 2 C1
Mélisey *F* 24 C2
Melk *A* 30 A2
Melle *D* 14 A4
Mellendorf *D* 8 C1
Mellin *D* 9 E1
Mellrichstadt *D* 21 D3
Mělník *CZ* 23 E3
Melsungen *D* 14 C1
Memmingen *D* 26 C1
Menággio *I* 34 A1
Menden *D* 13 E2
Ménfőcsanak *H* 39 E4
Mengen *D* 26 B2
Mengeš *SLO* 37 E1
Menthon *F* 32 B1
Meppel *NL* 6 C2
Meppen *D* 7 E2
Meran/Merano *I* 35 E2
Merano/Meran *I* 35 E2
Měřín *CZ* 30 B4
Mering *D* 27 E2
Merkendorf *D* 27 E4
Merklingen *D* 26 C2
Merligen *CH* 33 D2
Mern *DK* 4 B3
Mernye *H* 39 E1
Mersch *L* 18 B2
Mersch *D* 12 C1
Merseburg *D* 16 A2
Merzig *D* 18 C2
Meschede *D* 13 F2
Mesinge *DK* 3 E4
Mesocco *CH* 34 B2
Mespelbrunn *D* 20 B2
Messdorf *D* 9 F1
Messkirch *D* 26 B2
Messtetten *D* 26 B2
Mestlin *D* 10 A3
Metabief *F* 32 B3
Metnitz *A* 37 E2
Metten *D* 28 C3
Mettingen *D* 13 E4
Mettlach *D* 18 C2
Mettmann *D* 13 D2
Metz *F* 18 B1
Metzervisse *F* 18 B1
Metzingen *D* 26 B3
Meuselwitz *D* 16 A1
Meyenburg *D* 10 B2
Mezőörs *H* 39 E3
Mezőszilas *H* 39 F2
Mezzolombardo *I* 35 E1
Micheldorf *A* 37 E4
Michelstadt *D* 20 A2
Middelfart *DK* 3 D4
Midlum *D* 8 B4
Midsland *NL* 6 B3
Mieders *A* 35 E3
Międzdroje *PL* 11 E3
Międzyrzecz *PL* 17 F4
Miedzywodzie *PL* 11 E4
Miesbach *D* 35 F4
Mieste *D* 15 E4
Miesterhorst *D* 15 E4
Mieszkowice *PL* 11 E1
Mihla *D* 15 D1
Mijoux *F* 32 A2
Mikulov *CZ* 30 C3
Milevsko *CZ* 29 E4
Milín *CZ* 23 D1
Millstatt *A* 37 D2
Milmersdorf *D* 11 D2
Milow *D* 9 F2
Miltach *D* 28 C4
Miltenberg *D* 20 B2
Mimoň *CZ* 23 E3
Mindelheim *D* 27 D2
Minden *D* 14 B4
Minsen *D* 8 A4
Mirebeau *F* 24 A1
Mirecourt *F* 24 B3
Mirošov *CZ* 22 C1
Mirovice *CZ* 23 D1
Mirow *D* 10 B2
Mirsk *PL* 23 F4
Mistelbach *A* 30 C2
Misurina *I* 36 A2
Mittelberg *A* 35 D3
Mittelberg *A* 34 C3
Mittelberg *D* 35 D4
Mittenwald *D* 35 E4
Mittenwalde *D* 11 D2
Mittenwalde *D* 16 C3
Mittersill *A* 36 B3
Mitterteich *D* 22 A2
Mittweida *D* 22 B4
Mitwitz *D* 21 E3
Mladá Boleslav *CZ* 23 E3
Mladá Vožice *CZ* 23 E1
Mnich *CZ* 29 F4
Mnichovo Hradiště *CZ* 23 E3
Mníšek pod Brdy *CZ* 23 D2
Moča *SK* 39 F4
Möckern *D* 16 A3
Möckmühl *D* 20 B1
Modave *B* 18 A4
Mödling *A* 30 C1
Modra *SK* 31 D2
Moena *I* 35 F1
Moers *D* 12 C2
Moirans-en-Montagne *F* 32 A2
Mol *B* 12 A2
Möllbrücke *A* 36 C2
Möllenbeck *D* 10 C2
Mölln *D* 9 E3
Molsheim *F* 25 E3
Molveno *I* 35 D1
Mommark *DK* 3 D3
Mönchdorf *A* 29 F2
Mönchengladbach *D* 12 C2
Mönchhof *A* 31 D1
Mondorf-les-Bains *L* 18 B2
Mondsee *A* 28 C1
Monguelfo/Welsberg *I* 36 A2
Monheim *D* 27 E3
Mönichkirchen *A* 38 B3
Monnickendam *NL* 6 B1
Monschau *D* 18 C4
Monsheim *D* 19 E2
Mont-sous-Vaudrey *F* 32 A3
Montabaur *D* 19 E3
Montana *CH* 33 D2
Montbéliard *F* 24 C1
Montbenoît *F* 32 B3
Monthey *CH* 32 C2
Monthureaux-sur-
Saône *F* 24 B2
Montigny-le-Roi *F* 24 A2
Montmédy *F* 18 A2
Montmirey *F* 32 A4
Montreux *CH* 32 C2
Moordorf *D* 7 E3
Moosburg *D* 28 A2
Moosinning *D* 27 F2
Mór *H* 39 F3
Moravské Budějovice *CZ* 30 B3
Moravské Lieskové *SK* 31 E3
Moravský Krumlov *CZ* 30 C3
Morbach *D* 19 D2
Morbegno *I* 34 B1
Mörbisch *A* 38 C4
Morcote *CH* 34 A1
Morez *F* 32 B2
Mörfelden *D* 19 F2
Morges *CH* 32 B2

0
8 km
NÜRNBERG
AUGSBURG
PASSAU
LINDAU
GARMISCH PARTENKIRCHEN
SALZBURG
Dachau
Bergkirchen
Unter-
Schleissheim
Oberschleissheim
Garching
Ismaning
Speichersee
Karlsfeld
Olching
MÜNCHEN
Gröbenzell
Unter-
föhring
Kirchheim
Schwabing
Eichenau
Puchheim
Neuhausen
Bogenhausen
Feldkirchen
Germering
Pasing
Ramersdorf
Haar
Gräfelfing
Neubiberg
Gauting
Neuried
Unter-
haching
Ottobrunn
Pullach
Grünwald
Hohenbrunn
Forstenrieder
Park
Höhenkirchen
Starnberg
Ober-
haching
Strasslach
Amper
Würm
Isar
A92
E53
A9
E45
A8
E52
A94
A96
E54
A95
A995
A99
E45
E52
A952
E533
A8
E45
E52

- Morgex *I* **32** C1
- Morgins *CH* **32** C2
- Morhange *F* **24** C4
- Moritzburg *D* **17** D1
- Mørkøv *DK* **4** A4
- Morsum *D* **2** B3
- Morteau *F* **32** C3
- Moryń *PL* **11** E1
- Morzine *F* **32** C2
- Morzycyn *PL* **11** F2
- Mosbach *D* **20** A1
- Moschendorf *A* **38** C2
- Mosonmagyaróvár *H* **39** D4
- Mössingen *D* **26** B2
- Most *CZ* **22** C3
- Mouchard *F* **32** A3
- Moudon *CH* **32** C3
- Mouthe *F* **32** B3
- Mouthier *F* **32** B3
- Moutier *CH* **33** D4
- Mrzeżyno *PL* **11** F4
- Mšeno *CZ* **23** E3
- Much *D* **13** D1
- Mücheln *D* **15** F1
- Mudau *D* **20** B1
- Müden *D* **9** D2
- Mügeln *D* **16** C1
- Muggendorf *D* **21** E2
- Mühlacker *D* **26** B4
- Mühlbach *A* **36** C3
- Mühlberg *D* **16** C2
- Mühldorf *D* **28** B2
- Mühlhausen *D* **26** C3
- Mühlhausen *D* **15** D1
- Mülheim *D* **19** D3
- Mülheim *D* **13** D2
- Mulhouse *F* **25** D1
- Müllheim *D* **25** E1
- Müllrose *D* **17** E3
- Münchberg *D* **21** F2
- Müncheberg *D* **17** D4
- München *D* **27** F2
- Múnchhausen *D* **14** A1
- Münchhausen *D* **16** C2
- Munkebo *DK* **3** E4
- Münnerstadt *D* **20** C3
- Münsingen *CH* **33** D3
- Münsingen *D* **26** B2
- Münster *CH* **33** E2
- Munster *F* **25** D2
- Münster *D* **13** E3
- Munster *D* **9** D2
- Münstertal *D* **25** E1
- Münzkirchen *A* **29** D2
- Murau *A* **37** E3
- Murchin *D* **11** D3
- Mureck *A* **38** B2
- Muri *CH* **33** F4
- Murnau *D* **35** E4
- Mürren *CH* **33** E2
- Murrhardt *D* **26** C4
- Murska Sobota *SLO* **38** C2
- Mursko Središće *HR* **38** C1
- Murten *CH* **32** C3
- Mürzsteg *A* **38** A4
- Mürzzuschlag *A* **38** B4
- Musselkanaal *NL* **7** E2
- Müstair *CH* **35** D2
- Mustér/Disentis *CH* **34** A2
- Mutterstadt *D* **19** F1
- Myjava *SK* **31** E3
- Myślibórz *PL* **11** E1
- Mýto *CZ* **22** C1

# N

- Naarden *NL* **6** B1
- Nabburg *D* **22** A1
- Nadrin *B* **18** B3
- Näfels *CH* **34** A3
- Nagold *D* **26** A3
- Nagyatád *H* **39** D1
- Nagybajom *H* **39** E1
- Nagycenk *H* **38** C3
- Nagygyimót *H* **39** E3
- Nagyigmánd *H* **39** F4
- Nagykanizsa *H* **39** D1
- Nagykónyi *H* **39** F1
- Nagyvázsony *H* **39** E2
- Nahe *D* **9** D3
- Naila *D* **21** F3
- Nakskov *DK* **3** F2
- Náměšt' nad Oslavou *CZ* **30** C4
- Nancy *F* **24** C4
- Nantua *F* **32** A2
- Nassau *D* **19** E3
- Nassereith *A* **35** D3
- Næstved *DK* **4** A3
- Naturno/Naturns *I* **35** D2
- Naturns/Naturno *I* **35** D2
- Nauders *A* **35** D2
- Nauen *D* **16** B4
- Naumburg *D* **15** F1
- Naunhof *D* **16** B1
- Nebra *D* **15** F1
- Neckarelz *D* **20** A1
- Neckargemünd *D* **20** A1
- Neckargerach *D* **20** A1
- Neckarsteinach *D* **20** A1
- Neckarsulm *D* **26** B4
- Nedelišće *HR* **38** C1
- Neede *NL* **13** D4
- Neermoor *D* **7** E3
- Neheim-Hüsten *D* **13** E2
- Nejdek *CZ* **22** B3
- Neksø *DK* **5** F2
- Nemšová *SK* **31** F3
- Nendeln *FL* **34** B3
- Nepomuk *CZ* **22** C1
- Neratovice *CZ* **23** E2
- Neresheim *D* **27** D3
- Nersingen *D* **26** C2
- Nes *NL* **6** C3
- Nesselwang *D* **35** D4
- Netolice *CZ* **29** E3
- Nettancourt *F* **24** A4
- Nettetal *D* **12** C2
- Neu Darchau *D* **9** E2
- Neu Mukran *D* **5** D1
- Neu-Isenburg *D* **20** A3
- Neu-Moresnet *B* **12** B1
- Neubeckum *D* **13** F3
- Neubrandenburg *D* **10** C3
- Neubukow *D* **10** A4
- Neuburg *D* **27** E3
- Neuchâtel *CH* **32** C3
- Neudorf *D* **26** A4
- Neudorf-Platendorf *D* **15** D4
- Neuenburg *D* **25** D1
- Neuenbürg *D* **26** A3
- Neuenburg *D* **7** F3
- Neuenhaus *D* **7** D1
- Neuenkirchen *D* **8** C2
- Neuenwalde *D* **8** B3
- Neuf-Brisach *F* **25** D2
- Neufahrn *D* **28** B3
- Neufchâteau *F* **24** B3
- Neufchâteau *B* **18** A3
- Neufelden *A* **29** D2
- Neugersdorf *D* **23** E4
- Neuhaus *D* **21** E1
- Neuhaus *D* **21** E3
- Neuhaus *D* **28** C2
- Neuhaus *D* **8** B4
- Neuhaus *D* **14** C3
- Neuhaus *D* **9** E2
- Neuhausen am Rheinfall *CH* **25** F1
- Neuhof *D* **16** C3
- Neuhofen an der Krems *A* **29** E1
- Neuilly-l'Évêque *F* **24** A2
- Neukalen *D* **10** C3
- Neukirch *D* **23** D4
- Neukirchen *A* **36** A3
- Neukirchen *D* **2** B3
- Neukloster *D* **10** A3
- Neulengbach *A* **30** B1
- Neumarkt *A* **37** E2
- Neumarkt *D* **27** F4
- Neumarkt *A* **28** C1
- Neumarkt-St Veit *D* **28** B2
- Neumorschen *D* **14** C1
- Neumünster *D* **9** D4
- Neunagelberg *A* **29** F3
- Neunburg *D* **28** B4
- Neunkirchen *D* **19** D1
- Neunkirchen *A* **38** B4
- Neuötting *D* **28** B2
- Neupölla *A* **30** A2
- Neuruppin *D* **10** B1
- Neusiedl am See *A* **31** D1
- Neuss *D* **13** D2
- Neustadt *D* **20** B4
- Neustadt *D* **27** F3
- Neustadt *D* **21** E3
- Neustadt *D* **21** F4
- Neustadt *D* **25** F2
- Neustadt *D* **23** D4
- Neustadt *D* **9** E4
- Neustadt *D* **10** B1
- Neustadt am Rübenberge *D* **8** C1
- Neustadt an der Aisch *D* **21** D1
- Neustadt an der Waldnaab *D* **22** A1
- Neustadt an der Weinstrasse *D* **19** E1
- Neustadt-Glewe *D* **9** F2
- Neustift *A* **35** E3
- Neustrelitz *D* **10** C2
- Neuves-Maisons *F* **24** B3
- Neuwied *D* **19** D4
- Nickelsdorf *A* **31** D1
- Nidderau *D* **20** A3
- Niebüll *D* **2** B2
- Nieby *D* **3** D2
- Niechorze *PL* **11** F4
- Nieder Stotzingen *D* **27** D3
- Nieder-Wöllstadt *D* **20** A3
- Niederalteich *D* **28** C3
- Niederau *A* **36** A3
- Niederaula *D* **20** C4
- Niederbronn-les-Bains *F* **25** E4
- Niederkrüchten *D* **12** C2
- Niederwinkling *D* **28** C3
- Niemegk *D* **16** B3
- Nienburg *D* **8** B1
- Nienhagen *D* **10** A4
- Nierstein *D* **19** F2
- Niesky *D* **17** E1
- Nieuweschans *NL* **7** E3
- Nijkerk *NL* **6** B1
- Nijmegen *NL* **12** B3
- Nijverdal *NL* **7** D1
- Nitra *SK* **31** F2
- Nitrianske Pravno *SK* **31** F3
- Nitrianske Rudno *SK* **31** F3
- Nittenau *D* **28** B4
- Nittendorf *D* **28** A3
- Nivå *DK* **4** B4
- Nogent *F* **24** A2
- Nohfelden *D* **19** D2
- Nomeny *F* **24** C4
- Nomexy *F* **24** C3
- Nonnenhorn *D* **34** B4
- Noordwijk aan Zee *NL* **6** A1
- Nordborg *DK* **3** D3
- Nordby *DK* **2** B4
- Norddeich *D* **7** E4
- Norden *D* **7** E3
- Nordenham *D* **8** B3
- Norderney *D* **7** E4
- Norderstedt *D* **9** D3
- Nordhalben *D* **21** E3
- Nordhausen *D* **15** D2
- Nordhorn *D* **7** D1
- Nördlingen *D* **27** D3
- Nordskov *DK* **3** E4
- Norg *NL* **7** D2
- Nørre Åby *DK* **3** D4
- Nørre Alslev *DK* **4** A2
- Nørre Broby *DK* **3** D3
- Nørre Lyndelse *DK* **3** E3
- Nørre Nebel *DK* **2** B4
- Nørre Vejrup *DK* **2** C4
- Nörten-Hardenberg *D* **14** C2
- Northeim *D* **14** C2
- Nortorf *D* **3** D1
- Nossen *D* **22** C4
- Nottuln *D* **13** E3
- Nova *H* **38** C2
- Nová Bystřice *CZ* **30** A3
- Nova Levante/ Welschnofen *I* **35** E1
- Nová Paka *CZ* **23** F3
- Nováky *SK* **31** F3
- Nové Hrady *CZ* **29** F3
- Nové Město na Moravě *CZ* **30** B4
- Nové Mesto nad Váhom *SK* **31** E3
- Nové Sady *SK* **31** E2
- Nové Strašecí *CZ* **23** D2
- Nové Zámky *SK* **31** F1
- Novi Marof *HR* **38** C1
- Nový Bor *CZ* **23** E3
- Nový Bydžov *CZ* **23** F2
- Nový Jičín *CZ* **31** E4
- Nový Knín *CZ* **23** D1
- Nowe Warpno *PL* **11** E3
- Nowogard *PL* **11** F3
- Nowogród Bobrzański *PL* **17** F2
- Nowogrodziec *PL* **17** F1
- Nozeroy *F* **32** B3
- Nunsdorf *D* **16** C3
- Nunspeet *NL* **6** C1
- Nürburg *D* **19** D3
- Nürnberg *D* **21** D1
- Nürtingen *D* **26** B3
- Nuttlar *D* **14** A2
- Nyborg *DK* **3** E3
- Nyby *DK* **4** B2
- Nykøbing *DK* **4** A2
- Nykøbing *DK* **4** A4
- Nymburk *CZ* **23** E2
- Nyon *CH* **32** B2
- Nýrsko *CZ* **28** C4
- Nysted *DK* **4** A2

# O

- Ober-Roden *D* **20** A2
- Oberammergau *D* **35** E4
- Oberau *D* **35** E4
- Oberaudorf *D* **36** A4
- Oberdrauburg *A* **36** C2
- Obergrafendorf *A* **30** B1
- Obergünzburg *D* **27** D1
- Obergurgl *A* **35** E2
- Oberhausen *D* **13** D2
- Oberhof *D* **21** D4
- Oberhofen *CH* **33** D3
- Oberjoch *D* **35** D4
- Oberkirch *D* **25** E3
- Oberkochen *D* **26** C3
- Obernai *F* **25** E3
- Obernberg *A* **28** C2
- Obernburg *D* **20** B2
- Oberndorf *A* **28** C1
- Oberndorf *D* **26** A2
- Obernzell *D* **29** D2
- Oberpullendorf *A* **38** C3
- Oberriet *CH* **34** B3
- Obersickte *D* **15** D3

Obersontheim D 26 C4
Oberstaufen D 34 C4
Oberstdorf D 34 C4
Obersuhl D 14 C1
Obertauern A 37 D3
Obertraubling D 28 B3
Obertraun A 37 D4
Obervellach A 36 C2
Oberviechtach D 22 A1
Oberwald CH 33 E2
Oberwart A 38 C3
Oberwesel D 19 E3
Oberwiesenthal D 22 B3
Oberwölz A 37 E3
Oberzeiring A 37 E3
Obing D 28 B1
Öblarn A 37 D3
Obsteig A 35 E3
Ochsenfurt D 20 C2
Ochsenhausen D 26 C2
Ochtrup D 13 E4
Odelzhausen D 27 E2
Odense DK 3 E3
Oderberg D 11 D1
Ødsted DK 2 C4
Oebisfelde D 15 E4
Oederan D 22 C4
Oeding D 13 D3
Oelde D 13 F3
Oelsnitz D 22 A3
Oettingen D 27 D3
Oetz A 35 D3
Offenbach D 20 A3
Offenburg D 25 E3
Ogenbargen D 7 F3
Ohrdruf D 21 D4
Öhringen D 26 C4
Oirschot NL 12 B3
Oisterwijk NL 12 A3
Oker D 15 D3
Oksböl DK 2 B4
Øksendrup DK 3 E3
Olbernhau D 22 C3
Oldenburg D 8 A2
Oldenburg D 3 E1
Oldenzaal NL 13 D4
Olivone CH 34 A2
Ollerup DK 3 E3
Olomouc CZ 31 D4
Olpe D 13 E1
Olsberg D 14 A2
Olst NL 6 C1
Olszyna PL 17 E2
Olszyna PL 23 F4
Olten CH 33 E4
Omegna I 33 E1
Ommen NL 7 D1
Oosterbeek NL 12 C4
Oostérend NL 6 B3
Oosterhout NL 12 A3
Oosterwolde NL 7 D2
Oostmalle B 12 A2
Ootmarsum NL 7 D1
Opařany CZ 29 E4
Opladen D 13 D2
Oppach D 23 E4
Oppenau D 25 F3
Oppenheim D 19 F2
Ora/Auer I 35 E1
Oranienbaum D 16 B2
Oranienburg D 10 C1
Ørbæk DK 3 E3
Orbe CH 32 B3
Orbey F 25 D2
Orehoved DK 4 A2
Orgelet F 32 A2
Őriszentpéter H 38 C2
Orlik nad Vltavou CZ 23 D1
Ormož SLO 38 C1
Ornans F 32 B4
Oron-la-Ville CH 32 C2
Oroszló H 39 F1
Orscholz D 18 C2
Orsières CH 32 C1
Ort A 28 C2
Ortenberg D 20 B3
Ortenburg D 28 C2
Orth A 30 C1
Ortisei/St Ulrich I 35 F2
Ortrand D 17 D1
Oschatz D 16 C1
Oschersleben D 15 E3
Osl'any SK 31 F2
Osnabrück D 13 F4
Ośno PL 17 E4
Oss NL 12 B3
Ossiach A 37 D2
Ostbevern D 13 E3
Osted DK 4 B4
Øster Ulslev DK 4 A2
Osterburg D 9 F1
Osterburken D 20 B1
Osterhofen D 28 C3
Osterholz-Scharmbeck D 8 B2
Østerlars DK 5 F3
Østermarie DK 5 F3
Osterode D 15 D2
Ostheim D 20 C3
Osthofen D 19 F2
Ostrach D 26 B1
Ostritz D 23 E4
Ostrov CZ 22 B3
Osztopán H 39 E1
Otrokovice CZ 31 E4
Ottenschlag A 30 A2
Ottensheim A 29 E2
Otterbach D 19 E2
Otterlo NL 12 B4
Otterndorf D 8 B4
Ottersberg D 8 B2
Otterup DK 3 E4
Öttevény H 39 E4
Ottobeuren D 27 D1
Ottweiler D 19 D1
Oude-Pekela NL 7 E2
Ovelgönne D 8 C3
Ovenstädt D 14 B4
Over Jerstal DK 2 C3
Overath D 13 D1
Owschlag D 2 C1
Oyonnax F 32 A2
Oyten D 8 B2
Ožbalt SLO 38 A1

# P

Pacov CZ 29 F4
Pacsa H 39 D2
Paderborn D 14 A3
Pagny F 24 B4
Paliseul B 18 A3
Paluzza I 36 C1
Pamhagen A 39 D4
Pápa H 39 E3
Papenburg D 7 E2
Pappenheim D 27 E3
Parchim D 10 A3
Parey D 16 A4
Parłówko PL 11 E3
Parpan CH 34 B2
Parsberg D 27 F4
Partenen A 34 C3
Partizánske SK 31 F2
Pasewalk D 11 D3
Pasiecznik PL 23 F4
Passau D 29 D2
Patergassen A 37 D2
Paternion A 37 D2
Patersdorf D 28 C3
Patsch A 35 E3
Pattensen D 14 C4
Payerne CH 32 C3
Peckelsheim D 14 B2
Pécsvárad H 39 F1
Pedráces/Pedratsches I 35 F2
Pedratsches/Pedráces I 35 F2
Peenemünde D 11 D4
Pegau D 16 A1
Peggau A 38 A3
Pegnitz D 21 E2
Peine D 15 D4
Peiss D 27 F1
Peissenberg D 27 E1
Peiting D 27 E1
Peitz D 17 E2
Pejo I 35 D1
Pełczyce PL 11 F1
Pelhřimov CZ 30 A4
Penkum D 11 E2
Penzberg D 35 E4
Penzlin D 10 C3
Perchtoldsdorf A 30 C1
Perg A 29 E2
Pérgine Valsugana I 35 E1
Perleberg D 10 A2
Pernitz A 38 B4
Persenbeug A 29 F1
Pertisau A 35 F3
Pesmes F 32 A4
Pessin D 10 B1
Pétange L 18 B2
Petersdorf D 3 E1
Petersdorf D 10 B4
Petershagen D 14 B4
Petkus D 16 C3
Petrovice CZ 23 D1
Pettenbach A 29 D1
Peuerbach A 29 D2
Pezinok SK 31 D2
Pfaffendorf D 21 D3
Pfaffenhausen D 27 D2
Pfaffenhofen D 27 F2
Pfaffikon CH 34 A3
Pfäffikon CH 34 A4
Pfafflar A 35 D3
Pfarrkirchen D 28 C2
Pfatter D 28 B3
Pfeffenhausen D 28 A3
Pforzheim D 26 A3
Pfreimd D 22 A1
Pfronten D 35 D4
Pfullendorf D 26 B1
Pfullingen D 26 B3
Pfunds A 35 D3
Pfungstadt D 19 F2
Phalsbourg F 25 D3
Philippsreut D 29 D3
Philippsthal D 20 C4
Piechowice PL 23 F4
Pierrefitte F 24 A4
Pieski PL 17 F4
Piešt'any SK 31 E2
Pieve di Cadore I 36 A1
Pincehely H 39 F2
Pinkafeld A 38 B3
Pinneberg D 8 C3
Pinzolo I 35 D1
Piotta CH 33 F2
Pirmasens D 19 D1
Pirna D 23 D4
Písek CZ 29 E4
Planá CZ 22 B2
Planá nad Lužnicí CZ 29 F4
Plánice CZ 29 D4
Plansee A 35 D4
Plasy CZ 22 C2
Plattling D 28 C3
Plau D 10 B3
Plaue D 16 B4
Plauen D 22 A3
Plech D 21 E1
Pleinfeld D 27 E4
Plettenberg D 13 E2
Plochingen D 26 B3
Plombières-les-Bains F 24 C2
Plön D 3 D1
Płoty PL 11 F3
Plzeň CZ 22 C1
Pobierowo PL 11 F4
Počátky CZ 30 A4
Pöchlarn A 30 A1
Pocking D 28 C2
Podbořany CZ 22 C2
Poděbrady CZ 23 F2
Podersdorf am See A 39 D4
Podivín CZ 31 D3
Podkoren SLO 37 D1
Poggendorf D 10 C4
Pohořelice CZ 30 C3
Poissons F 24 A3
Polgárdi H 39 F2
Police PL 11 E3
Poligny F 32 A3
Polle D 14 B3
Pomellen D 11 E2
Pomezí nad Ohří CZ 22 A2
Pommersfelden D 21 D2
Pompaples CH 32 B3
Pompey F 24 B4
Pont-à-Mousson F 24 B4
Pont-de-Roide F 32 C4
Pont-St-Vincent F 24 B3
Pontailler-sur-Saône F 32 A4
Pontarlier F 32 B3
Ponte Arche I 35 D1
Ponte di Legno I 35 D1
Ponte nelle Alpi I 36 A1
Ponte Tresa CH 33 F1
Pontebba I 36 C1
Pontresina CH 34 C2
Poppenhausen D 20 C2
Pörnbach D 27 F3
Porrentruy CH 33 D4
Port-sur-Saône F 24 B1
Pörtschach A 37 D2
Poschiavo CH 34 C1
Pössneck D 21 F4
Postoloprty CZ 22 C3
Potsdam D 16 C4
Pottenstein D 21 E2
Pottenstein A 30 B1
Pöttmes D 27 E3
Považská Bystrica SK 31 F3
Poysdorf A 30 C2
Pożrzadło PL 17 F3
Prachatice CZ 29 D3
Prägraten A 36 B3
Praha CZ 23 E2
Præstø DK 4 B3
Prauthoy F 24 A2
Pravlov CZ 30 C3
Pré St-Didier I 32 C1
Predazzo I 35 E1
Preddvor SLO 37 E1
Predel SLO 37 D1
Predlitz A 37 D3
Predoi/Prettau I 36 A3
Preetz D 3 D1
Pregarten A 29 E2
Přelouč CZ 23 F2
Premnitz D 16 B4
Prenzlau D 11 D2
Přerov CZ 31 E4
Prerow D 4 B1
Pressath D 21 F2
Pressbaum A 30 B1
Přeštice CZ 22 C1
Prettau/Predoi I 36 A3
Prettin D 16 B2
Pretzsch D 16 B2
Pribeta SK 31 F1
Příbor CZ 31 F4
Příbram CZ 23 D1
Přibyslav CZ 30 B4
Prichsenstadt D 20 C2
Prien D 28 B1
Primda CZ 22 B1
Primstal D 18 C2
Pritzerbe D 16 B4
Pritzier D 9 E3
Pritzwalk D 10 B2

Probstzella *D* 21 E3
Pronsfeld *D* 18 C3
Prostějov *CZ* 31 D4
Protivín *CZ* 29 E4
Prötzel *D* 17 D4
Prüm *D* 18 C3
Prunn *D* 27 F3
Przybiernów *PL* 11 E3
Ptuj *SLO* 38 B1
Puchberg *A* 38 B4
Púchov *SK* 31 F3
Puffendorf *D* 12 C1
Pulkau *A* 30 B2
Pulsnitz *D* 17 D1
Purbach *A* 38 C4
Purgstall *A* 30 A1
Purkersdorf *A* 30 C1
Purmerend *NL* 6 A2
Pusztaszemes *H* 39 E2
Putbus *D* 5 D1
Putim *CZ* 29 E4
Putlitz *D* 10 A2
Puttelange *F* 25 D4
Putten *NL* 6 B1
Puttgarden *D* 3 F1
Pyrzyce *PL* 11 E2
Pyšely *CZ* 23 E2

## Q

Quakenbrück *D* 7 F1
Quedlinburg *D* 15 E3
Querfurt *D* 15 F2
Quickborn *D* 9 D3
Quingey *F* 32 B4

## R

Raab *A* 29 D2
Raabs an der Thaya *A* 30 A3
Raalte *NL* 6 C1
Rábafüzes *H* 38 C2
Rabí *CZ* 29 D4
Rača *SK* 31 D1
Rade *D* 8 C3
Radeberg *D* 17 D1
Radebeul *D* 16 C1
Radeburg *D* 17 D1
Radegast *D* 16 A2
Radenci *SLO* 38 B2
Radenthein *A* 37 D2
Radevormwald *D* 13 D2
Radkersburg *A* 38 B2
Radlje ob Dràvi *SLO* 38 A2
Radmirje *SLO* 37 F1
Radnica *PL* 17 F3
Radnice *CZ* 22 C2
Radolfzell *D* 26 A1
Radošina *SK* 31 E2
Radošovce *SK* 31 D3
Radotín *CZ* 23 D2
Radovljica *SLO* 37 D1
Radstadt *A* 36 C3
Raesfeld *D* 13 D3
Ragaška Slatina *SLO* 38 B1
Rahden *D* 14 A4
Rain *D* 27 E3
Rajec *SK* 31 F3
Rajka *H* 31 D1
Rakovník *CZ* 22 C2
Rambervillers *F* 24 C3
Rambin *D* 4 C1
Ramsau *A* 37 D3
Ramstein *D* 19 D1
Ranalt *A* 35 E3
Rankweil *A* 34 B3
Raon-l'Etape *F* 25 D3
Rapperswil *CH* 34 A3
Raron *CH* 33 D2
Rastatt *D* 25 F3
Rastede *D* 8 A3
Rastenfeld *A* 30 A2
Rateče *SLO* 37 D1
Ratekau *D* 9 E4
Rathenow *D* 16 B4
Ratingen *D* 13 D2
Ratten *A* 38 B3
Rattenberg *A* 36 A3
Rattersdorf *A* 38 C3
Ratzeburg *D* 9 E3
Raubling *D* 36 A4
Rauris *A* 36 C3
Ravensbrück *D* 10 C2
Ravensburg *D* 26 C1
Realp *CH* 33 F2
Rechnitz *A* 38 C3
Recke *D* 13 E4
Recklinghausen *D* 13 D3
Recologne *F* 32 A4
Recz *PL* 11 F2
Redefin *D* 9 E2
Rédics *H* 38 C1
Rees *D* 12 C3
Regen *D* 28 C3
Regensburg *D* 28 A3
Regenstauf *D* 28 A4
Rehau *D* 21 F3
Rehden *D* 8 A1
Rehna *D* 9 E3
Reichenau an der Rax *A* 38 B4
Reichenbach *D* 22 A3
Reichenbach *D* 17 E1
Reichertshausen *D* 27 F2
Reichertshofen *D* 27 F3
Reignier *F* 32 B2
Reinach *CH* 33 D4
Reinach *CH* 33 E3
Reinberg *D* 10 C4
Reinfeld *D* 9 E4
Reinhardshagen *D* 14 C2
Reinheim *D* 20 A2
Reinsfeld *D* 18 C2
Reisbach *D* 28 B2
Reischach *D* 28 B2
Reischenhart *D* 36 A4
Reit im Winkl *D* 36 B4
Reitzehain *D* 22 C3
Rejštejn *CZ* 29 D4
Reken *D* 13 D3
Remagen *D* 19 D4
Remels *D* 7 F3
Remich *L* 18 B2
Remiremont *F* 24 C2
Remouchamps *B* 18 B4
Remscheid *D* 13 D2
Renchen *D* 25 E3
Rendsburg *D* 2 C1
Renkum *NL* 12 B4
Rennerod *D* 19 E4
Rennweg *A* 37 D2
Rens *DK* 2 C3
Répcelak *H* 39 D3
Rerik *D* 10 A4
Resko *PL* 11 F3
Rethem *D* 8 C1
Retz *A* 30 B3
Reusel *NL* 12 A3
Reuterstadt Stavenhagen *D* 10 C3
Reutlingen *D* 26 B3
Reutte *A* 35 D4
Revfülöp *H* 39 E2
Révigny *F* 24 A4
Řevničov *CZ* 23 D2
Rewal *PL* 11 F4
Rheda *D* 13 F3
Rhede *D* 13 D3
Rheinau *D* 25 E3
Rheinbach *D* 19 D4
Rheinberg *D* 12 C3
Rheinböllen *D* 19 E3
Rheindahlen *D* 12 C2
Rheine *D* 13 E4
Rheinfelden *CH* 25 E1
Rheinfelden *D* 25 E1
Rheinsberg *D* 10 C2
Rheinzabern *D* 25 F4
Rhenen *NL* 12 B4
Rhens *D* 19 E3
Rheydt *D* 12 C2
Rhinau *F* 25 E2
Rhinow *D* 10 B1
Rhynern *D* 13 E3
Ribe *DK* 2 B4
Ribeauville *F* 25 D2
Ribnitz-Damgarten *D* 4 B1
Říčany *CZ* 23 E2
Richtenberg *D* 10 C4
Rickling *D* 9 D4
Ried *A* 35 D3
Ried im Innkreis *A* 29 D2
Riedenburg *D* 27 F3
Riedlingen *D* 26 B2
Riegel *D* 25 E2
Riegersburg *A* 38 B2
Riesa *D* 16 C1
Riestedt *D* 15 E2
Rietberg *D* 14 A3
Riezlern *A* 34 C3
Rijssen *NL* 7 D1
Ringe *DK* 3 E3
Ringsted *DK* 4 A3
Rinteln *D* 14 B4
Rioz *F* 24 B1
Riquewihr *F* 25 D2
Risnovce *SK* 31 E2
Ristinge *DK* 3 E2
Risum-Lindholm *D* 2 B2
Rittmanshausen *D* 14 C1
Röbel *D* 10 B2
Rochefort *B* 18 A3
Rochefort-s-Nenon *F* 32 A4
Rochlitz *D* 22 B4
Rockenhausen *D* 19 E2
Rodach *D* 21 D3
Rødby *DK* 3 F2
Rødbyhavn *DK* 3 F2
Rødding *DK* 2 C4
Rødekro *DK* 2 C3
Roden *NL* 7 D3
Rodenkirchen *D* 8 A3
Rodewald *D* 8 C1
Rodewisch *D* 22 A3
Roding *D* 28 B4
Rødvig *DK* 4 B3
Roermond *NL* 12 B2
Rogatec *SLO* 38 B1
Rogätz *D* 15 F4
Rohrbach *A* 29 D2
Rohrbach-lès-Bitche *F* 25 D4
Rohrberg *D* 9 E1
Rokycany *CZ* 22 C1
Rolle *CH* 32 B2
Romanshorn *CH* 34 B4
Rombas *F* 18 B1
Romont *CH* 32 C3
Roncegno *I* 35 E1
Ronchamp *F* 24 C1
Rønne *DK* 5 E3
Ronneburg *D* 22 A4
Rønnede *DK* 4 B3
Roodeschool *NL* 7 D3
Rorschach *CH* 34 B4
Rørvig *DK* 4 A4
Rosche *D* 9 E2
Rosegg *A* 37 D1
Rosenheim *D* 28 A1
Rosice *CZ* 30 C3
Roskilde *DK* 4 B4
Rosshaupten *D* 35 D4
Rossla *D* 15 E2
Rosslau *D* 16 A3
Röstånga *S* 4 C4
Rostock *D* 10 B4
Rotenburg *D* 14 C1
Rotenburg *D* 8 C2
Roth *D* 27 E4
Rötha *D* 16 B1
Rothenburg *D* 17 E1
Rothenburg ob der Tauber *D* 20 C1
Rott *D* 27 E1
Rott *D* 28 A1
Rottach *D* 35 F4
Rottenbach *D* 21 D3
Rottenburg *D* 28 A3
Rottenburg *D* 26 B3
Rottenmann *A* 37 E3
Rotthalmünster *D* 28 C2
Röttingen *D* 20 C1
Rottweil *D* 26 A2
Rötz *D* 28 B4
Roudnice n Labem *CZ* 23 D3
Rouffach *F* 25 D2
Rougemont *F* 24 B1
Rougemont *F* 24 C1
Rouvres-en-Xaintois *F* 24 B3
Rövershagen *D* 10 B4
Rów *PL* 11 E1
Różanki *PL* 11 F1
Rožmitál pod Třemšínen *CZ* 23 D1
Rožnov pod Radhoštěm *CZ* 31 F4
Rozvadov *CZ* 22 B1
Rudawica *PL* 17 F2
Rüdesheim *D* 19 E3
Rudkøbing *DK* 3 E2
Rudolphstein *D* 21 F3
Rudolstadt *D* 21 E4
Ruds-Vedby *DK* 3 F4
Ruffieux *F* 32 A1
Rühen *D* 15 E4
Ruhland *D* 17 D2
Ruhmannsfelden *D* 28 C3
Ruhpolding *D* 36 B4
Rülzheim *D* 25 F4
Rum *H* 39 D3
Rumburk *CZ* 23 E4
Rumilly *F* 32 A1
Rupt *F* 24 C2
Rüsselsheim *D* 19 F2
Rust *D* 25 E2
Rust *A* 38 C4
Ruswil *CH* 33 E3
Rutenbrock *D* 7 E2
Rüthen *D* 14 A2
Rüti *CH* 34 A3
Ruurlo *NL* 12 C4
Ruwer *D* 18 C2
Rysum *D* 7 E3
Rzepin *PL* 17 E3

## S

Saal *D* 28 A3
Saalbach *A* 36 B3
Saales *F* 25 D3
Saalfeld *D* 21 E3
Saalfelden *A* 36 B3
Saanen *CH* 33 D2
Saarbrücken *D* 18 C1
Saarburg *D* 18 C2
Saarlouis *D* 18 C1
Saas-Fee *CH* 33 E1
Sæd *DK* 2 C3
Sądów *PL* 17 E3
Sadská *CZ* 23 E2
Saerbeck *D* 13 E4
Saeul *L* 18 B2
Sagard *D* 5 D1
Ságvár *H* 39 F2
Saignelégier *CH* 32 C4
St Aegyd *A* 38 B4

St-Amé *F* 24 C2
St Andrä *A* 37 F2
St Andreasberg *D* 15 D2
St Annaparochie *NL* 6 C3
St Anton *A* 34 C3
St-Avold *F* 18 C1
St Blasien *D* 25 E1
St-Blin *F* 24 A3
St-Cergue *CH* 32 B2
St Christina/ Santa Cristina *I* 35 F2
St Christoph *A* 34 C3
St-Claude *F* 32 A2
St-Dié *F* 25 D3
St-Dizier *F* 24 A4
St Englmar *D* 28 C3
St Gallen *CH* 34 B4
St Gallen *A* 37 E4
St Gallenkirch *A* 34 C3
St-Genix-sur-Guiers *F* 32 A1
St Georgen *A* 37 E3
St Georgen *D* 25 F2
St Georgen *A* 28 C1
St-Germain-de-Joux *F* 32 A2
St-Gervais-les-Bains *F* 32 B1
St Gilgen *A* 36 C4
St Gingolph *CH* 32 C2
St Goar *D* 19 E3
St Goarshausen *D* 19 E3
St-Gorgon-Main *F* 32 B3
St-Hippolyte *F* 32 C4
St-Hubert *B* 18 A3
St-Imier *CH* 32 C4
St Ingbert *D* 19 D1
St Jakob im Rosental *A* 37 D1
St-Jeoire *F* 32 B2
St Johann am Tauern *A* 37 E3
St Johann im Pongau *A* 36 C3
St Johann in Tirol *A* 36 B4
St-Jorioz *F* 32 B1
St-Julien-en-Genevois *F* 32 A2
St Lambrecht *A* 37 E2
St-Laurent-en-Grandvaux *F* 32 A3
St Leonhard *A* 30 A1
St Lorenzen *A* 36 B2
St-Louis *F* 25 D1
St-Loup-sur-Semouse *F* 24 B2
St-Luc *CH* 33 D1
St Märgen *D* 25 E2
St-Maurice *CH* 32 C2
St Maurice-sur-Moselle *F* 24 C2
St Michael *A* 37 D3
St Michael *A* 37 F3
St Michael *A* 38 C3
St-Mihiel *F* 24 B4
St Moritz *CH* 34 C2
St Nicolas-de-Port *F* 24 C3
St Niklaus *CH* 33 D1
St Nikolai *A* 37 D3
St Oedenrode *NL* 12 B3
St Olof *S* 5 E4
St Oswald *A* 29 E2
St Paul *A* 37 F2
St Peter-Ording *D* 2 B1
St Pölten *A* 30 B1
St-Thiébault *F* 24 A3
St-Truiden *B* 12 A1
St Ulrich/Ortisei *I* 35 F2
St Valentin *A* 29 E1
St Veit *A* 37 E2
St-Vestec *CZ* 23 E2
St Vigil/San Vigilio *I* 35 F2
St Vith *B* 18 B3
St Wendel *D* 19 D2
St Wolfgang *A* 36 C4
Ste-Croix *CH* 32 B3
Ste-Marie-aux-Mines *F* 25 D2
Sakskøbing *DK* 4 A2
Šal'a *SK* 31 E1
Salem *D* 26 B1
Salins *F* 32 A3
Sallanches *F* 32 B1
Saltbæk *DK* 3 F4
Sælvig *DK* 3 E4
Salzburg *A* 36 C4
Salzgitter-Bad *D* 15 D3
Salzgitter-Lebenstedt *D* 15 D3
Salzhausen *D* 9 D2
Salzkotten *D* 14 A3
Salzwedel *D* 9 E1
Salzweg *D* 29 D2
Samedan *CH* 34 C2
Samoëns *F* 32 C1
Šamorín *SK* 31 D1
Samtens *D* 4 C1
San Bernardino *CH* 34 B2
San Candido/Innichen *I* 36 A2
San Daniele del Friuli *I* 36 B1
San Leonardo in Passiria *I* 35 E2
San Martino di Castrozza *I* 35 F1
San Michele all'Ádige *I* 35 E1
San Stéfano di Cadore *I* 36 B2
San Valentino alla Muta *I* 35 D2
San Vito di Cadore *I* 36 A1
Sand in Taufers/ Campo Tures *I* 35 F2
Sandau *D* 10 A1
Sande *D* 8 A3
Sandl *A* 29 E2
Sandstedt *D* 8 B3
Sandvig *DK* 5 E3
Sangerhausen *D* 15 E2
Sanitz *D* 10 B4
Sankt-Michaelisdonn *D* 8 C4
Sannenmöser *CH* 33 D2
Santa Caterina Valfurva *I* 35 D1
Santa Cristina/ St Christina *I* 35 F2
Santa Maria Maggiore *I* 33 E1
Santok *PL* 11 F1
Sappada *I* 36 B2
Sappemeer *NL* 7 D3
Sarbinowo *PL* 17 E4
Sarentino-Sarntal *I* 35 E2
Sargans *CH* 34 B3
Sárkeresztúr *H* 39 F2
Sarnen *CH* 33 E3
Sarralbe *F* 25 D4
Sarre-Union *F* 25 D4
Sarrebourg *F* 25 D3
Sarreguemines *F* 18 C1
Sarstedt *D* 14 C4
Sárvár *H* 39 D3
Sásd *H* 39 F1
Sassenberg *D* 13 F3
Sassenheim *NL* 6 A1
Sassnitz *D* 5 D1
Šaštin- Stráže *SK* 31 D2
Satow *D* 10 A4
Satrup *D* 2 C2
Sauerlach *D* 27 F1
Saulgau *D* 26 B2
Saulx *F* 24 B1
Saulxures *F* 24 C2
Saverne *F* 25 D3
Savognin *CH* 34 B2
Schaan *FL* 34 B3
Schachendorf *A* 38 C3
Schaffhausen *CH* 26 A1
Schafstädt *D* 15 F2
Schäftlam *D* 27 E1
Schagen *NL* 6 A2
Scharbeutz *D* 9 E4
Schärding *A* 28 C2
Scharnitz *A* 35 E3
Scharnstein *A* 29 D1
Scheer *D* 26 B2
Scheessel *D* 8 C2
Scheibbs *A* 30 A1
Scheifling *A* 37 E3
Scheinfeld *D* 21 D1
Schenefeld *D* 8 C4
Scherfede *D* 14 B2
Schermbeck *D* 13 D3
Schesslitz *D* 21 E2
Scheyern *D* 27 F2
Schieder *D* 14 B3
Schierling *D* 28 A3
Schiermonnikoog *NL* 6 C3
Schifferstadt *D* 19 F1
Schilpário *I* 34 C1
Schiltach *D* 25 F2
Schirmeck *F* 25 D3
Schirnding *D* 22 A2
Schkeuditz *D* 16 A2
Schladen *D* 15 D3
Schladming *A* 37 D3
Schlanders/Silandro *I* 35 D2
Schlangenbad *D* 19 E3
Schleching *D* 36 B4
Schleiden *D* 18 C4
Schleiz *D* 21 F3
Schleswig *D* 2 C2
Schleusingen *D* 21 D3
Schlieben *D* 16 C2
Schliersee *D* 35 F4
Schlitz *D* 20 B4
Schlotheim *D* 15 D1
Schluchsee *D* 25 E1
Schlüchtern *D* 20 B3
Schluderns/Sluderno *I* 35 D2
Schludersbach/ Carbonin *I* 36 A2
Schlüsselfeld *D* 21 D2
Schlutup *D* 9 E4
Schmalkalden *D* 21 D4
Schmallenberg *D* 13 F2
Schmidmühlen *D* 28 A4
Schmilka *D* 23 D4
Schmöllin *D* 22 A4
Schmölln *D* 11 D2
Schnackenburg *D* 9 F2
Schnaittenbach *D* 21 F1
Schneeberg *D* 22 B3
Schneverdingen *D* 8 C2
Schöder *A* 37 D3
Schöllkrippen *D* 20 B3
Schönau *D* 25 E1
Schönbeck *D* 11 D3
Schönberg *A* 35 E3
Schönberg *D* 22 A2
Schönberg *D* 28 C3
Schönberg *D* 3 D1

Freilassing
Perach
Bergheim
Lengfelden
Söllheim
LINZ
Oberesch
A1
E55
E60
156
155
288
304
Liefering
Itzling
292
158
BADISCHL
D
Siezenheim
293
Gnigl
Schallmoos
Parsch
Saalach
20
Feldkirchen
SALZBURG
Aigen
Maxglan
Wals
296
Salzburg
297
Nonntal
Glas
1
Viehhausen
Leopoldskron
Kleingmain
Glasenbach
Walserberg
MÜNCHEN
Morzg
A10
E55
Eichethof-
siedlung
150
Elsbethen
Salzach
Glanegg
Anif
Fürstenbrunn
159
8
Grödig
160
0
2 km
Niederalm
VILLACH

| Place | Page | Grid |
|---|---|---|
| Schönberg D | 9 | E3 |
| Schönbergerstrand D | 3 | E1 |
| Schönebeck D | 10 | B2 |
| Schönebeck D | 15 | F3 |
| Schönecken D | 18 | C3 |
| Schongau D | 27 | E1 |
| Schönhagen D | 3 | D2 |
| Schöningen D | 15 | E3 |
| Schönthal D | 28 | B4 |
| Schönwald D | 25 | F2 |
| Schönwalde D | 3 | E1 |
| Schönwalde D | 10 | C1 |
| Schoonebeek NL | 7 | D2 |
| Schoonhoven NL | 12 | A4 |
| Schoonoord NL | 7 | D2 |
| Schopfheim D | 25 | E1 |
| Schöppenstedt D | 15 | E3 |
| Schoppernau A | 34 | C3 |
| Schorndorf D | 26 | C3 |
| Schotten D | 20 | B3 |
| Schramberg D | 25 | F2 |
| Schrems A | 29 | F3 |
| Schriesheim D | 19 | F1 |
| Schrobenhausen D | 27 | E2 |
| Schröcken A | 34 | C3 |
| Schruns A | 34 | C3 |
| Schüpfheim CH | 33 | E3 |
| Schüttorf D | 13 | E4 |
| Schwaan D | 10 | B4 |
| Schwabach D | 27 | E4 |
| Schwabhausen D | 27 | E2 |
| Schwäbisch Gmünd D | 26 | C3 |
| Schwäbisch Hall D | 26 | C4 |
| Schwabmünchen D | 27 | D2 |
| Schwaigern D | 26 | B4 |
| Schwalenberg D | 14 | B3 |
| Schwalmstadt-Treysa D | 14 | B1 |
| Schwalmstadt-Ziegenhain D | 14 | B1 |
| Schwanden CH | 34 | A3 |
| Schwandorf D | 28 | A4 |
| Schwanebeck D | 15 | E3 |
| Schwanenstadt A | 29 | D1 |
| Schwanewede D | 8 | B2 |
| Schwaney D | 14 | B3 |
| Schwarmstedt D | 8 | C1 |
| Schwarzach A | 36 | C3 |
| Schwarzenbach D | 21 | F3 |
| Schwarzenbek D | 9 | D3 |
| Schwarzenberg D | 22 | B3 |
| Schwarzenfeld D | 28 | B4 |
| Schwarzsee CH | 33 | D2 |
| Schwaz A | 35 | F3 |
| Schwechat A | 30 | C1 |
| Schwedt D | 11 | E2 |
| Schweich D | 18 | C2 |
| Schweinfurt D | 20 | C2 |
| Schwelm D | 13 | D2 |
| Schwenningen D | 25 | F2 |
| Schwerin D | 9 | F3 |
| Schwerte D | 13 | E2 |
| Schwetzingen D | 19 | F1 |
| Schwyz CH | 33 | F3 |
| Scuol CH | 34 | C2 |
| Sebnitz D | 23 | D4 |
| Seč CZ | 22 | C1 |
| Seč CZ | 23 | F2 |
| Seckau A | 37 | F3 |
| Sédico I | 36 | A1 |
| Sedlčany CZ | 23 | D1 |
| Sedlice CZ | 29 | D4 |
| Sedrun CH | 33 | F2 |
| Seeboden A | 36 | C2 |
| Seebruck D | 28 | B1 |
| Seefeld in Tyrol A | 35 | E3 |
| Seehausen D | 15 | E3 |
| Seehausen D | 10 | A1 |
| Seehausen D | 16 | B3 |
| Seelbach D | 25 | E2 |
| Seelow D | 17 | E4 |
| Seeon D | 28 | B1 |
| Seesen D | 15 | D3 |
| Seeshaupt D | 27 | E1 |
| Seewalchen A | 29 | D1 |
| Seewiesen A | 38 | A4 |
| Segesd H | 39 | D1 |
| Sehnde D | 14 | C4 |
| Seifhannersdorf D | 23 | E4 |
| Seitenstetten A | 29 | E1 |
| Sejerby DK | 3 | F4 |
| Selb D | 22 | A2 |
| Selent D | 3 | E1 |
| Sélestat F | 25 | D2 |
| Sellières F | 32 | A3 |
| Sellin D | 5 | D1 |
| Selm D | 13 | E3 |
| Selmsdorf D | 9 | E4 |
| Selongey F | 24 | A1 |
| Selsingen D | 8 | C3 |
| Seltz F | 25 | F4 |
| Selva di Val Gardena/Wolkenstein in Gardena I | 35 | F2 |
| Semily CZ | 23 | F3 |
| Semmering A | 38 | B4 |
| Senden D | 13 | E3 |
| Sendenhorst D | 13 | E3 |
| Senec SK | 31 | E1 |
| Senftenberg D | 17 | D2 |
| Senica SK | 31 | D2 |
| Sennelager D | 14 | A3 |
| Sennestadt D | 14 | A3 |
| Senones F | 25 | D3 |
| Sentilj SLO | 38 | B2 |
| Seraing B | 12 | B1 |
| Sered' SK | 31 | E2 |
| Serfaus A | 35 | D3 |
| Sermaize-les-Bains F | 24 | A4 |
| Sesto/Sexten I | 36 | A2 |
| Severin D | 10 | A3 |
| Ševětín CZ | 29 | E3 |
| Sevrier F | 32 | A1 |
| Sexten/Sesto I | 36 | A2 |
| Seyda D | 16 | B3 |
| Seyssel F | 32 | A1 |
| Sezimovo Ústí CZ | 29 | F4 |
| Siddeburen NL | 7 | D3 |
| Siegburg D | 13 | D1 |
| Siegen D | 13 | E1 |
| Siegenburg D | 28 | A3 |
| Sieggraben A | 38 | C4 |
| Siegsdorf D | 36 | B4 |
| Siekierki PL | 11 | E1 |
| Sieniawka PL | 23 | E4 |
| Sierck-les-Bains F | 18 | B2 |
| Sierentz F | 25 | D1 |
| Sierning A | 29 | E1 |
| Sierre CH | 33 | D2 |
| Sigmaringen D | 26 | B2 |
| Silandro/Schlanders I | 35 | D2 |
| Silberstedt D | 2 | C2 |
| Sillian A | 36 | B2 |
| Sils-Maria CH | 34 | B2 |
| Silvaplana CH | 34 | B2 |
| Silz A | 35 | D3 |
| Simaság H | 39 | D3 |
| Simbach D | 28 | B2 |
| Simbach D | 28 | C2 |
| Simmerath D | 18 | C4 |
| Simmerberg D | 34 | C4 |
| Simmern D | 19 | D3 |
| Simplon Dorf CH | 33 | E1 |
| Simrishamn S | 5 | E3 |
| Sindelfingen D | 26 | B3 |
| Singen D | 26 | A1 |
| Sinsheim D | 20 | A1 |
| Sinzig D | 19 | D4 |
| Siófok H | 39 | F2 |
| Sion CH | 33 | D2 |
| Sirnach CH | 34 | A4 |
| Sissach CH | 33 | E4 |
| Sittard NL | 12 | B2 |
| Sittensen D | 8 | C2 |
| Siusi I | 35 | E2 |
| Sjöbo S | 5 | D4 |
| Skalica SK | 31 | D3 |
| Skælskør DK | 3 | F3 |
| Skanör S | 4 | C3 |
| Skąpe PL | 17 | F3 |
| Skærbæk DK | 2 | B3 |
| Skårup DK | 3 | E3 |
| Skelde DK | 3 | D2 |
| Skibby DK | 4 | B4 |
| Skillinge S | 5 | E3 |
| Škofja Loka SLO | 37 | E1 |
| Skovballe DK | 3 | E3 |
| Skovby DK | 3 | D2 |
| Skurup S | 5 | D3 |
| Skwierzyna PL | 17 | F4 |
| Sládkovičovo SK | 31 | E1 |
| Slagelse DK | 3 | F3 |
| Slangerup DK | 4 | B4 |
| Slaný CZ | 23 | D2 |
| Slavonice CZ | 30 | A3 |
| Sliedrecht NL | 12 | A4 |
| Słońsk PL | 17 | E4 |
| Sloten NL | 6 | C2 |
| Slovenj Gradec SLO | 37 | F1 |
| Slovenska Bistrica SLO | 38 | B1 |
| Slovenske Konjice SLO | 38 | A1 |
| Słubice PL | 17 | E3 |
| Sluderno/Schluderns I | 35 | D2 |
| Smědeč CZ | 29 | E3 |
| Smidary CZ | 23 | F2 |
| Smilde NL | 7 | D2 |
| Smygehamn S | 5 | D3 |
| Snaptun DK | 3 | D4 |
| Snarup DK | 3 | E3 |
| Sneek NL | 6 | C3 |
| Snøde DK | 3 | E3 |
| Snogebaek DK | 5 | F2 |
| Soběslav CZ | 29 | F4 |
| Sobotište SK | 31 | E3 |
| Sobotka CZ | 23 | F3 |
| Søby DK | 3 | D2 |
| Soest D | 13 | F2 |
| Soest NL | 12 | B4 |
| Soestdijk NL | 6 | B1 |
| Sögel D | 7 | E2 |
| Sokolov CZ | 22 | B2 |
| Solda/Sulden I | 35 | D2 |
| Sölden A | 35 | E3 |
| Solingen D | 13 | D2 |
| Söll A | 36 | A4 |
| Sollenau A | 38 | C4 |
| Søllested DK | 3 | F2 |
| Sološnica SK | 31 | D2 |
| Solothurn CH | 33 | D4 |
| Solrød Strand DK | 4 | B4 |
| Soltau D | 8 | C2 |
| Sömmerda D | 15 | E1 |
| Sommersted DK | 2 | C3 |
| Somogyszob H | 39 | D1 |
| Sonceboz CH | 33 | D4 |
| Sóndalo I | 34 | C1 |
| Sønderborg DK | 3 | D3 |
| Sønderby DK | 3 | D2 |
| Sønderby DK | 4 | A2 |
| Sønderho DK | 2 | B4 |
| Sondershausen D | 15 | E2 |
| Søndersø DK | 3 | E4 |
| Sondrio I | 34 | B1 |
| Sonneberg D | 21 | E3 |
| Sonogno CH | 33 | F2 |
| Sonsbeck D | 12 | C3 |
| Sonthofen D | 34 | C4 |
| Sontra D | 14 | C1 |
| Sopron H | 38 | C4 |
| Söréd H | 39 | F3 |
| Sorø DK | 4 | A3 |
| Sörup D | 3 | D2 |
| Sottrum D | 8 | C2 |
| Soufflenheim F | 25 | E3 |
| Souilly F | 18 | A1 |
| Soultz F | 25 | D2 |
| Soultz F | 25 | E4 |
| Sövestad S | 5 | D3 |
| Spa B | 18 | B4 |
| Spaichingen D | 26 | A2 |
| Spakenburg NL | 6 | B1 |
| Spálené Poříčí CZ | 22 | C1 |
| Spalt D | 27 | E4 |
| Spandau D | 16 | C4 |
| Spangenberg D | 14 | C1 |
| Speyer D | 19 | F1 |
| Spiegelau D | 28 | C3 |
| Spiekeroog D | 7 | F4 |
| Spielfeld A | 38 | B2 |
| Spiez CH | 33 | D2 |
| Spilimbergo I | 36 | B1 |
| Špindlerův-Mlýn CZ | 23 | F3 |
| Spital am Pyhrn A | 37 | E4 |
| Spittal an der Drau A | 36 | C2 |
| Spitz A | 30 | A2 |
| Splügen CH | 34 | B2 |
| Spodsbjerg DK | 3 | E2 |
| Sprakensehl D | 9 | D1 |
| Spremberg D | 17 | E2 |
| Springe D | 14 | C4 |
| Staaken D | 16 | C4 |
| Stachy CZ | 29 | D3 |
| Stade D | 8 | C3 |
| Stadskanaal NL | 7 | D2 |
| Stadthagen D | 14 | B4 |
| Stadtilm D | 21 | E4 |
| Stadtkyll D | 18 | C4 |
| Stadtlauringen D | 21 | D3 |
| Stadtlohn D | 13 | D4 |
| Stadtoldendorf D | 14 | C3 |
| Stadtroda D | 21 | F4 |
| Stadtsteinach D | 21 | E2 |
| Staffelstein D | 21 | E2 |
| Stahle D | 14 | B3 |
| Stainach A | 37 | D3 |
| Stainville F | 24 | A4 |
| Stainz A | 38 | A2 |
| Stalden CH | 33 | E1 |
| Stams A | 35 | E3 |
| Staňkov CZ | 22 | B1 |
| Stans CH | 33 | F3 |
| Stansstad CH | 33 | F3 |
| Stare Czarnowo PL | 11 | E2 |
| Staré Město CZ | 31 | E3 |
| Stargard-Szczeciński PL | 11 | F2 |
| Starnberg D | 27 | E1 |
| Starogard PL | 11 | F3 |
| Starup DK | 2 | C4 |
| Starup DK | 2 | C3 |
| Starý Hrozenkov CZ | 31 | E3 |
| Stavelot B | 18 | B4 |
| Staveren NL | 6 | B2 |
| Stechelberg CH | 33 | E2 |
| Štěchovice CZ | 23 | D2 |
| Steckborn CH | 26 | A1 |
| Steeg A | 34 | C3 |
| Steenwijk NL | 6 | C2 |
| Stege DK | 4 | B2 |
| Stegersbach A | 38 | C3 |
| Stein am Rhein CH | 26 | A1 |
| Steinach A | 35 | E3 |
| Steinau D | 20 | B3 |
| Steinberg D | 3 | D2 |
| Steinfeld A | 36 | C2 |
| Steinfeld D | 8 | A1 |
| Steinfurt D | 13 | E4 |
| Steingaden D | 35 | D4 |
| Steinhausen D | 26 | C2 |
| Steinheim D | 14 | B3 |
| Steinhorst D | 9 | D1 |
| Stenay F | 18 | A2 |
| Stendal D | 16 | A4 |
| Stenlille DK | 4 | A4 |
| Stenløse DK | 4 | B4 |
| Stenstrup DK | 3 | E3 |
| Stepnica PL | 11 | E3 |
| Stepnica PL | 11 | E3 |
| Sternberg D | 10 | A3 |
| Sterzing/Vipiteno I | 35 | E2 |
| Štětí CZ | 23 | D3 |
| Steyr A | 29 | E1 |
| Stiens NL | 6 | C3 |
| Štítary CZ | 30 | B3 |
| Stockach D | 26 | B1 |
| Stockelsdorf D | 9 | E4 |
| Stockerau A | 30 | C2 |
| Stockheim D | 21 | E3 |

Stod CZ 22 C1
Stokkemarke DK 3 F2
Štoky CZ 23 F1
Stolberg D 12 C1
Stollberg D 22 B3
Stolpe D 16 C4
Stolzenau D 8 B1
Stonařov CZ 30 B4
Store Darum DK 2 B4
Store Heddinge DK 4 B3
Store Merløse DK 4 A4
Storkow D 17 D3
Stotel D 8 B3
Stotternheim D 15 E1
Stouby DK 3 D4
Straach D 16 B3
Straelen D 12 C3
Strakonice CZ 29 D4
Stralsund D 4 C1
Strande D 3 D1
Strání CZ 31 E3
Stranice SLO 38 A1
Strasbourg F 25 E3
Strasburg D 11 D3
Strassburg A 37 E2
Strassfurt D 15 F3
Strasswalchen A 28 C1
Straubing D 28 B3
Straupitz D 17 D3
Strausberg D 17 D4
Straussfurt D 15 E1
Strážnice CZ 31 D3
Strážný CZ 29 D3
Strehla D 16 C1
Streitberg D 21 E2
Strengberg A 29 E1
Stresa I 33 F1
Strib DK 3 D4
Stříbro CZ 22 B1
Strmilov CZ 30 A3
Strobl A 36 C4
Strøby Egede DK 4 B3
Stromberg D 19 E2
Strücklingen D 7 F2
Strzelce Krajeńskie PL 11 F1
Stubbekøbing DK 4 B2
Stuben A 34 C3
Studánky CZ 29 E2
Studená CZ 30 A3
Stühlingen D 25 F1
Stukenbrock D 14 A3
Stülpe D 16 C3
Stupava SK 31 D2
Stuttgart D 26 B3
Suchań PL 11 F2
Suchdol nad Lužnicí CZ 29 F3
Süchteln D 12 C2
Süden D 2 B2
Süderbrarup D 3 D2
Süderlugum D 2 C3
Suhl D 21 D3
Sulden/Solda I 35 D2
Sulęin PL 17 F4
Sulingen D 8 B1
Sulz D 26 A2
Sulzbach D 26 C4
Sulzbach-Rosenberg D 21 F1
Sümeg H 39 D2
Sumiswald CH 33 E3
Sundern D 13 F2
Šurany SK 31 F1
Sursee CH 33 E3
Susch CH 34 C2
Sušice CZ 29 D4
Süssen D 26 C3
Svaneke DK 5 F3
Sväty Jur SK 31 D2
Svedala S 4 C3
Svendborg DK 3 E3
Švermov CZ 23 D2
Světlá nad Sázavou CZ 23 F1
Švihov CZ 22 C1
Svinninge DK 4 A4
Swalmen NL 12 C2
Świdnica PL 17 F2
Świebodzin PL 17 F3
Świecko PL 17 E3
Świeradów-Zdrój PL 23 F4
Świerzno PL 11 F3
Świnoujście PL 11 E3
Syke D 8 B2
Szakály H 39 F1
Szany H 39 D3
Szczecin PL 11 E2
Székesfehérvár H 39 F3
Szentlászló H 39 E1
Szil H 39 D3
Szklarska Poreba PL 23 F4
Szombathely H 38 C3
Szőny H 39 F4
Szprotawa PL 17 F2
's Heerenberg NL 12 C3
's-Hertogen-Bosch NL 12 B3

# T

Tábor CZ 29 E4
Tachov CZ 22 B2
Tai di Cadore I 36 A1
Tailfingen D 26 B2
Takácsi H 39 E3
Talloires F 32 B1
Tamási H 39 F2
Tamsweg A 37 D3
Tangerhütte D 16 A4
Tangermünde D 16 A4
Taninges F 32 B1
Tann D 20 C4
Tanne D 15 D2
Tannheim A 35 D4
Tanvald CZ 23 F3
Tapolca H 39 E2
Tapolcafő H 39 E3
Taps DK 2 C4
Tarasp CH 34 C2
Tårbæk DK 4 B4
Tarcento I 36 C1
Tarmstedt D 8 B2
Tarp D 2 C2
Tårs DK 3 E2
Tarvisio I 37 D1
Täsch CH 33 D1
Tåstrup DK 4 B4
Tata H 39 F4
Tatabánya H 39 F3
Tauberbischofsheim D 20 B2
Taucha D 16 B2
Taufers/Tubre I 35 D2
Taufkirchen D 28 A2
Taufkirchen A 29 D2
Taunusstein D 19 E3
Tauplitz A 37 D4
Tavannes CH 33 D4
Tavaux F 32 A4
Taxenbach A 36 C3
Techendorf A 36 C2
Tecklenburg D 13 E4
Tegelen NL 12 C2
Tegernsee D 35 F4
Teichel D 21 E4
Teisendorf D 28 B1
Tejn DK 5 F3
Telč CZ 30 A3
Telfs A 35 E3
Telgte D 13 E3
Tellingstedt D 2 C1
Templin D 10 C2
Teplá CZ 22 B2
Teplice CZ 23 D3
Ter Apel NL 7 E2
Terezín CZ 23 D3
Ternitz A 38 B4
Terz A 38 A4
Tessin D 10 B4
Tét H 39 E3
Teterow D 10 B3
Tettnang D 26 B1
Teufen CH 34 B4
Teupitz D 17 D3
Thale D 15 E2
Thalfang D 18 C2
Thalmässing D 27 E4
Thalwil CH 33 F4
Thann F 25 D2
Thannhausen D 27 D2
Tharandt D 22 C4
Themar D 21 D3
Theux B 18 B4
Thiaucourt-Regniéville F 24 B4
Thiendorf D 17 D1
Thiersee A 36 A4
Thiessow D 5 D1
Thionville F 18 B2
Tholey D 18 C2
Thonon F 32 B2
Thum D 22 B3
Thun CH 33 D3
Thürkow D 10 B3
Thurnau D 21 E2
Thusis CH 34 B2
Tiefencastel CH 34 B2
Tiefensee D 17 D4
Tiel NL 12 B4
Tienen B 12 A1
Tiengen D 25 F1
Tihany H 39 E2
Tilburg NL 12 A3
Timmendorfer Strand D 9 E4
Tinglev DK 2 C3
Tione di Trento I 35 D1
Tirano I 34 C1
Tirschenreuth D 22 A2
Tišnov CZ 30 C4
Tistrup DK 2 B4
Titisee D 25 E2
Tittling D 28 C3
Tittmoning D 28 B1
Titz D 12 C2
Tjæreborg DK 2 B4
Toblach/Dobbiaco I 36 A2
Todtmoos D 25 E1
Todtnau D 25 E1
Toftlund DK 2 C3
Tollarp S 5 D4
Tolmezzo I 36 C1
Tolmin SLO 37 D1
Tomelilla S 5 D3
Tommerup DK 3 D3
Tønder DK 2 B3
Tongeren (Tongres) B 12 B1
Tongres (Tongeren) B 12 B1
Tönning D 2 B1
Töpchin D 16 C3
Topoľčany SK 31 F2
Torgau D 16 C2
Torgelow D 11 D3
Torony H 38 C3
Torzym PL 17 F3
Tostedt D 8 C2
Toul F 24 B4
Toužim CZ 22 B2
Traben-Trarbach D 19 D3
Trafoi I 35 D2
Traisen A 30 B1
Traiskirchen A 30 C1
Traismauer A 30 B2
Trakošćan HR 38 B1
Tramelan CH 33 D4
Tranås S 5 D4
Tranderup DK 3 E2
Tranekær DK 3 E3
Trassem D 18 C2
Traun A 29 E2
Traunkirchen A 37 D4
Traunreut D 28 B1
Traunstein D 28 B1
Travemünde D 9 E4
Travers CH 32 C3
Trebatsch D 17 D3
Trebbin D 16 C3
Třebenice CZ 23 D3
Třebíč CZ 30 B4
Třeboň CZ 29 F3
Treia D 2 C2
Treis D 19 D3
Trelleborg S 4 C3
Tremezzo I 34 A1
Třemošná CZ 22 C2
Trenčianska Turná SK 31 F3
Trenčin SK 31 F3
Trendelburg D 14 B2
Trento I 35 E1
Tresenda I 34 C1
Třeštice CZ 30 A4
Treuchtlingen D 27 E3
Treuenbrietzen D 16 B3
Trhové Sviny CZ 29 E3
Triaucourt-en-Argonne F 24 A4
Triberg D 25 F2
Tribsees D 10 B4
Tricesimo I 36 C1
Trichiana I 36 A1
Trieben A 37 E3
Trier D 18 C2
Trittau D 9 D3
Trittenheim D 18 C2
Trnava SK 31 E2
Trocnov CZ 29 E3
Trofaiach A 37 F3
Trois-Ponts B 18 B4
Trojane SLO 37 F1
Tröstau D 21 F2
Trostberg D 28 B1
Trstín SK 31 E2
Truchtersheim F 25 E3
Trzcinno PL 11 F1
Trzcińsko Zdrój PL 11 E1
Trzebiatów PL 11 F4
Trzebiel PL 17 E2
Trzebież PL 11 E3
Tržič SLO 37 E1
Tschernitz D 17 E2
Tübingen D 26 B3
Tubre/Taufers I 35 D2
Tüchen D 10 A2
Tullebolle DK 3 E2
Tulln A 30 B2
Turckheim F 25 D2
Türkheim D 27 D2
Turnhout B 12 A2
Türnitz A 30 A1
Turnov CZ 23 F3
Turrach A 37 D2
Turzovka PL 31 F4
Tuttlingen D 26 A2
Tutzing D 27 E1
Tvrdošovce SK 31 F1
Twimberg A 37 F2
Twist D 7 E1
Twistringen D 8 B2
Týn nad Vltavou CZ 29 E4
Tzummarum NL 6 C3

Überlingen D 26 B1
Uchte D 8 B1
Uckange F 18 B1
Uden NL 12 B3
Ueckermünde D 11 D3
Uelsen D 7 D1
Uelzen D 9 D2
Uetersen D 8 C3
Uetze D 15 D4
Uffenheim D 20 C1
Ugerløse DK 4 A4
Ugine F 32 B1

Uherské Hradiště *CZ* 31 E3
Uherský Brod *CZ* 31 E3
Uhlířské Janovice *CZ* 23 E2
Uhříněves *CZ* 23 E2
Uithoorn *NL* 6 A1
Uithuizen *NL* 7 D3
Ullerslev *DK* 3 E3
Ulm *D* 26 C2
Ulmen *D* 19 D3
Ulstrup *DK* 3 F4
Umhausen *A* 35 D3
Úněšov *CZ* 22 C2
Unhošť *CZ* 23 D2
Unna *D* 13 E2
Unter Pfaffenhofen *D* 27 E2
Unter-Schleissheim *D* 27 F2
Unterach *A* 36 C4
Unterlüss *D* 9 D1
Unteruhldingen *D* 26 B1
Unterwasser *CH* 34 B3
Unterweissenbach *A* 29 F2
Unterwössen *D* 36 B4
Urk *NL* 6 B2
Urnäsch *CH* 34 B3
Usedom *D* 11 D3
Usingen *D* 19 F3
Uslar *D* 14 C2
Usseln *D* 14 A2
Úštěk *CZ* 23 D3
Uster *CH* 34 A4
Ústí nad Labem *CZ* 23 D3
Uthlede *D* 8 B3
Utrecht *NL* 12 A4
Uttendorf *A* 36 B3
Uttendorf *A* 28 C2
Utting *D* 27 E1
Úvaly *CZ* 23 E2

Vaassen *NL* 6 C1
Vaduz *FL* 34 B3
Væggerløse *DK* 4 A2
Vaihingen *D* 26 B4
Valašská Polanka *CZ* 31 E4
Valašské Meziříčí *CZ* 31 E4
Valbella *CH* 34 B2
Valdahon *F* 32 B4
Valkenburg *NL* 12 B1
Valkenswaard *NL* 12 B2
Vallåkra *S* 4 C4
Vallorbe *CH* 32 B3
Vallorcine *F* 32 C1
Vals *CH* 34 A2
Valtournenche *I* 33 D1
Vamdrup *DK* 2 C4
Vámosszabadi *H* 39 E4
Vandel *DK* 2 C4
Varallo *I* 33 E1
Varaždin *HR* 38 C1
Varde *DK* 2 B4
Varel *D* 8 A3
Varenna *I* 34 B1
Varnsdorf *CZ* 23 E4
Várpalota *H* 39 F3
Várpslöd *H* 39 E3
Varsseveld *NL* 12 C3
Vasvár *H* 39 D2
Vát *H* 39 D3
Vaucouleurs *F* 24 B3
Vauvillers *F* 24 B2
Veberöd *S* 5 D4
Vechta *D* 8 A1
Vedbaek *DK* 4 B4
Veendam *NL* 7 D3
Veenendaal *NL* 12 B4
Veghel *NL* 12 B3
Vejen *DK* 2 C4
Vejers Strand *DK* 2 B4
Vejle *DK* 3 D4
Veľké Leváre *SK* 31 D2
Veľke Ripňany *SK* 31 E2
Veľké Uherce *SK* 31 F2
Veľký Meder *SK* 39 E4
Velbert *D* 13 D2
Velburg *D* 27 F4
Velden *A* 37 D2
Velden *D* 28 B2
Velden *D* 21 E1
Veldhoven *NL* 12 B3
Velenje *SLO* 37 F1
Velešín *CZ* 29 E3
Velká Bíteš *CZ* 30 C4
Velká Hleďsebe *CZ* 22 B2
Velká nad Veličkou *CZ* 31 E3
Velké Brezno *CZ* 23 D3
Velké Karlovice *CZ* 31 F4
Velké Meziříčí *CZ* 30 B4
Velké Němčice *CZ* 30 C3
Velký Újezd *CZ* 31 E4
Vellinge *S* 4 C3
Velp *NL* 12 C4
Velpke *D* 15 E4
Veltrusy *CZ* 23 D2
Velvary *CZ* 23 D2
Vemmelv *DK* 3 F3
Vemmenaes *DK* 3 E3
Venlo *NL* 12 C2
Venray *NL* 12 C3
Venzone *I* 36 C1
Verbania-Pallanza *I* 33 F1
Verbier *CH* 32 C1
Verden *D* 8 B2
Verdun *F* 18 A1
Verl *D* 14 A3
Verny *F* 24 C4
Verrières-de-Joux *F* 32 B3
Versmold *D* 13 F3
Versoix *CH* 32 B2
Verviers *B* 18 B4
Vése *H* 39 D1
Veselí nad Lužnicí *CZ* 29 F4
Veselí nad Moravou *CZ* 31 D3
Vesoul *F* 24 B1
Vester Egesborg *DK* 4 A3
Vesterby *DK* 3 F2
Veszprém *H* 39 E2
Veszprémvarsány *H* 39 E3
Vetschau *D* 17 D2
Vevey *CH* 32 C2
Veyrier *F* 32 B1
Vézelise *F* 24 B3
Vezzano *I* 35 D1
Vianden *L* 18 B3
Vianen *NL* 12 A4
Vić *SLO* 37 F2
Viechtach *D* 28 C3
Vielsalm *B* 18 B3
Vienenburg *D* 15 D3
Viersen *D* 12 C2
Vierzehnheiligen *D* 21 E2
Vig *DK* 4 A4
Vigneulles *F* 18 A1
Vignory *F* 24 A3
Vik *S* 5 E4
Vilémov *CZ* 23 F2
Villa Santina *I* 36 B1
Villach *A* 37 D2
Villars *CH* 32 C2
Villé *F* 25 D3
Villers-le-Lac *F* 32 C3
Villersexel *F* 24 C1
Villingen *D* 25 F2
Vilsbiburg *D* 28 B2
Vilseck *D* 21 F1
Vilshofen *D* 28 C2
Vimperk *CZ* 29 D3
Vinzelberg *D* 15 F4
Vipiteno/Sterzing *I* 35 E2
Virgen *A* 36 B2
Virieu-le-Grand *F* 32 A1
Virton *B* 18 A2
Visbek *D* 8 A2
Visé *B* 12 B1
Viskinge *DK* 3 F4
Visp *CH* 33 E2
Visselhövede *D* 8 C2
Vissenbjerg *DK* 3 D3
Visz *H* 39 E2
Vitemölla *S* 5 E4
Vitis *A* 30 A3
Vittel *F* 24 B3
Vizovice *CZ* 31 E4
Vlachovo Březí *CZ* 29 D3
Vlagtweed *NL* 7 E2
Vlašim *CZ* 23 E1
Vlotho *D* 14 B4
Vöcklabruck *A* 29 D1
Vodňany *CZ* 29 E3
Vohburg *D* 27 F3
Vohenstrauss *D* 22 A1
Vöhringen *D* 26 C2
Void *F* 24 B4
Voitsberg *A* 38 A2
Vojens *DK* 2 C3
Vojnik *SLO* 38 A1
Vojtanov *CZ* 22 A2
Volary *CZ* 29 D3
Volders *A* 35 F3
Volendam *NL* 6 B2
Volkach *D* 20 C2
Völkermarkt *A* 37 E2
Völklingen *D* 18 C1
Volkmarsen *D* 14 B2
Volyně *CZ* 29 D4
Voorst *NL* 12 C4
Vorau *A* 38 B3
Vorbasse *DK* 2 C4
Vorchdorf *A* 29 D1
Vörden *D* 7 F1
Vordernberg *A* 37 F3
Vorderriss *D* 35 E4
Vordingborg *DK* 4 A2
Vorsfelde *D* 15 E4
Votice *CZ* 23 E1
Vráble *SK* 31 F2
Vransko *SLO* 37 F1
Vratno *HR* 38 C1
Vrbové *SK* 31 E2
Vrchlabí *CZ* 23 F3
Vreden *D* 13 D4
Vroomshoop *NL* 7 D1
Vroutek *CZ* 22 C2
Vsetín *CZ* 31 E4
Vught *NL* 12 B3
Vyškov *CZ* 31 D4
Vyšší Brod *CZ* 29 E2

Waabs *D* 3 D2
Waalwijk *NL* 12 A3
Wabern *D* 14 B1
Wachow *D* 16 B4
Wächtersbach *D* 20 B3
Wackersdorf *D* 28 B4
Wädenswil *CH* 33 F3
Wagenfeld *D* 8 A1
Wageningen *NL* 12 B4
Waging *D* 28 B1
Wagrain *A* 36 C3
Wahlwies *D* 26 A1
Wahrenholz *D* 9 D1
Waiblingen *D* 26 B3
Waidhaus *D* 22 A1
Waidhofen an der Thaya *A* 30 A3
Waidhofen an der Ybbs *A* 29 F1
Waidring *A* 36 B4
Waischenfeld *D* 21 E2
Walbeck *D* 15 E4
Walchensee *D* 35 E4
Walchsee *A* 36 B4
Wald *CH* 34 A3
Waldbröl *D* 13 E1
Waldeck *D* 14 B2
Waldenbuch *D* 26 B3
Waldenburg *D* 22 B4
Waldfischbach *D* 19 D1
Waldheim *D* 16 C1
Waldkirch *D* 25 E2
Waldkirchen *D* 29 D3
Waldkraiburg *D* 28 B2
Waldmünchen *D* 28 B4
Waldowice *PL* 17 F4
Waldsassen *D* 22 A2
Waldshut *D* 25 E1
Walenstadt *CH* 34 B3
Walldorf *D* 19 F1
Walldürn *D* 20 B1
Wallenfels *D* 21 E3
Wallersdorf *D* 28 B3
Wallerstein *D* 27 D3
Wallsbüll *D* 2 C2
Walsrode *D* 8 C2
Waltrop *D* 13 E3
Wanderup *D* 2 C2
Wanfried *D* 14 C1
Wangen *D* 26 C1
Wangenbourg *F* 25 D3
Wangerooge *D* 7 F4
Wängi *CH* 34 A4
Wankendorf *D* 9 D4
Wanzleben *D* 15 F3
Warburg *D* 14 B2
Wardenburg *D* 8 A2
Waremme *B* 12 A1
Waren *D* 10 B3
Warendorf *D* 13 F3
Warin *D* 10 A3
Warmensteinach *D* 21 F2
Warnemünde *D* 10 B4
Warnsveld *NL* 12 C4
Warstein *D* 13 F2
Warth *A* 34 C3
Wartha *D* 15 D1
Wasselonne *F* 25 D3
Wassen *CH* 33 F2
Wassenberg *D* 12 C2
Wasseralfingen *D* 27 D3
Wasserbillig *L* 18 C2
Wasserburg *D* 28 A1
Wassertrüdingen *D* 27 D4
Wasungen *D* 21 D4
Wattens *A* 35 F3
Wattwil *CH* 34 B3
Waxweiler *D* 18 C3
Wedel *D* 8 C3
Weener *D* 7 E3
Weert *NL* 12 B2
Weesen *CH* 34 B3
Weeze *D* 12 C3
Wegberg *D* 12 C2
Wegeleben *D* 15 E3
Weggis *CH* 33 F3
Węgliniec *PL* 17 F1
Węgorzyno *PL* 11 F3
Wegscheid *D* 29 D2
Wehr *D* 25 E1
Wehr *D* 19 D4
Weichshofen *D* 28 B3
Weida *D* 22 A4
Weiden *D* 22 A1
Weidenberg *D* 21 F2
Weigetschlag *A* 29 E2
Weikersheim *D* 20 C1
Weil *D* 26 B3
Weilburg *D* 19 F4
Weilheim *D* 27 E1
Weimar *D* 20 A4
Weimar *D* 21 E4
Weinfelden *CH* 34 B4
Weingarten *D* 26 C1
Weinheim *D* 19 F2
Weinsberg *D* 26 B4
Weismain *D* 21 E2
Weissbriach *A* 36 C2

0
5 km
STOCKERAU
BRNO
A22
E49 E59
Wiener Wald
Salmannsdorf
Jedlesee
Floridsdorf
Kagran
Döbling
Brigittenau
Donaustadt
Währing
Dornbach
Hernals
Alsergrund
Leopold-stadt
Stadlau
Ottakring
WIEN
Josefstadt
Prater
Penzing
A1
LINZ
Auhof
Rudolfsheim-Fünfhaus
Neubau
Landstrasse
A23
Mariahilf
Wieden
Margareten
Lainzer Tiergarten
Hietzing
Meidling
Favoriten
Simmering
A4
E58 E60
AIRPORT WIEN - SCHWECHAT
A23
Liesing
Oberlaa
Inzersdorf
Schwechat
A2
E59 E60
Perchtoldsdorf
Vösendorf
A21
E60
A2 E59
SALZBURG
GRAZ
Donau
Donaukanal
Wien
Liesing
Schwechat

Weissenbach *A* 35 D4
Weissenburg *D* 27 E3
Weissenfels *D* 16 A1
Weissenhorn *D* 26 C2
Weissenkirchen *A* 30 A2
Weissensee *D* 15 E1
Weissenstadt *D* 21 F2
Weisskirchen *A* 37 E3
Weisswasser *D* 17 E2
Weitendorf *D* 10 B3
Weitra *A* 29 F2
Weiz *A* 38 B3
Welden *D* 27 D2
Well *NL* 12 C3
Wellaune *D* 16 B2
Welle *D* 8 C2
Wellin *B* 18 A3
Wels *A* 29 D1
Welsberg/Monguelfo *I* 36 A2
Welschofen/
Nova Levante *I* 35 E1
Weltenburg *D* 28 A3
Welzheim *D* 26 C3
Wemding *D* 27 D3
Wemperhaardt *L* 18 B3
Wengen *CH* 33 E2
Wenns *A* 35 D3
Weppersdorf *A* 38 C3
Werben *D* 10 A1
Werbomont *B* 18 B4
Werdau *D* 22 A4
Werder *D* 16 B4
Werdohl *D* 13 E2
Werfen *A* 36 C3
Werl *D* 13 E2
Werlte *D* 7 E2
Wermelskirchen *D* 13 D2
Wernberg *D* 22 A1
Werne *D* 13 E3
Werneck *D* 20 C2
Werneuchen *D* 17 D4
Wernigerode *D* 15 E3
Wertach *D* 35 D4
Wertheim *D* 20 B2
Werther *D* 14 A3
Wertingen *D* 27 D3
Wesel *D* 13 D3
Wesenberg *D* 10 C2
Wesendorf *D* 9 D1
Wesselburen *D* 2 B1
Wessobrunn *D* 27 E1
West-Terschelling *NL* 6 B3
Westendorf *A* 36 A3
Westenholz *D* 8 C1
Westensee *D* 3 D1
Westerholt *D* 7 E3
Westerland *D* 2 B3
Westerlo *B* 12 A2
Westerstede *D* 7 F3
Wetter *D* 13 E2
Wettringen *D* 13 E4
Wetzikon *CH* 34 A4
Wetzlar *D* 19 F4
Weyer-Markt *A* 37 E4
Weyhausen *D* 9 D1
Weyregg *A* 29 D1
Widuchowa *PL* 11 E2
Wiedenbrück *D* 13 F3
Wiefelstede *D* 8 A3
Wiehe *D* 15 E1
Wiek *D* 4 C2
Wien *A* 30 C1
Wiener Neustadt *A* 38 C4
Wierden *NL* 7 D1
Wies *D* 35 E4
Wiesau *D* 22 A2
Wiesbaden *D* 19 F3
Wieselburg *A* 30 A1
Wiesenburg *D* 16 B3
Wiesentheid *D* 20 C2
Wiesloch *D* 19 F1
Wiesmath *A* 38 C4
Wiesmoor *D* 7 F3
Wietze *D* 8 C1
Wijhe *NL* 6 C1
Wil *CH* 34 B4
Wildalpen *A* 37 F4
Wildbad *D* 26 A3
Wildenrath *D* 12 C2
Wildeshausen *D* 8 A2
Wildhaus *CH* 34 B3
Wildon *A* 38 A2
Wilfersdorf *A* 30 C2
Wilhelmsburg *A* 30 B1
Wilhelmshaven *D* 8 A3
Wilhering *A* 29 E2
Willingen *D* 14 A2
Willisau *CH* 33 E3
Wilnsdorf *D* 13 F1
Wilster *D* 8 C4
Wiltz *L* 18 B3
Windeck *D* 13 E1
Windisch *D* 22 A2
Windischgarsten *A* 37 E4
Windsbach *D* 27 E4
Winklern *A* 36 B2
Winnenden *D* 26 B3
Winnigstedt *D* 15 D3
Winnweiler *D* 19 E2
Winschoten *NL* 7 E3
Winsen *D* 9 D3
Winsen *D* 8 C1
Winsum *NL* 7 D3
Winterberg *D* 14 A2
Winterfeld *D* 9 E1
Wintermoor *D* 8 C2
Winterswijk *NL* 13 D4
Winterthur *CH* 34 A4
Wipperfürth *D* 13 E2
Wippra *D* 15 E2
Wischhafen *D* 8 C4
Wisełka *PL* 11 E3
Wismar *D* 9 F4
Wissembourg *F* 25 E4
Wissen *D* 13 E1
Witnica *PL* 17 E4
Wittdün *D* 2 B2
Witten *D* 13 E2

Wittenberge D 10 A2
Wittenburg D 9 E3
Wittichenau D 17 D1
Wittingen D 9 E1
Wittlich D 18 C3
Wittmund D 7 F3
Wittstock D 10 B2
Witzenhausen D 14 C2
Woerden NL 12 A4
Woerth F 25 E4
Wohlen CH 33 E4
Woldegk D 11 D2
Wolfach D 25 F2
Wolfegg D 26 C1
Wolfen D 16 A2
Wolfenbüttel D 15 D3
Wolfhagen D 14 B2
Wolframs-Eschenbach D 27 E4
Wolfratshausen D 27 E1
Wolfsberg A 37 F2
Wolfsburg D 15 E4
Wolfstein D 19 D2
Wolgast D 11 D4
Wolhusen CH 33 E3
Wolin PL 11 E3
Wolkenstein D 22 C3
Wolkenstein in Gardena/ Selva di Val Gardena I 35 F2
Wolkersdorf A 30 C2
Wöllersdorf A 38 C4
Wollin D 16 B3
Wolmirstedt D 15 F3
Wolnzach D 27 F3
Wolvega NL 6 C2
Worb CH 33 D3
Worbis D 15 D2
Wörgl A 36 A4
Workum NL 6 B2
Wörlitz D 16 B3
Wormerveer NL 6 A2
Worms D 19 F2
Wörrstadt D 19 E2
Wörth D 20 B2
Wörth D 28 B3
Wörth D 25 F4
Wredenhagen D 10 B2
Wriezen D 11 D1
Wulfen D 13 D3
Wullowitz A 29 E2
Wünnenberg D 14 A2
Wunsiedel D 21 F2
Wunstorf D 14 C4
Wuppertal D 13 D2
Wurzbach D 21 E3
Würzburg D 20 C2
Wurzen D 16 B1
Wust D 16 A4
Wusterhausen D 10 B1
Wüstermarke D 16 C2
Wustrow D 4 B1
Wyk D 2 B2

Xanten D 12 C3
Xertigny F 24 C2
Xhoffraix B 18 B4

Ybbs an der Donau A 29 F1
Ybbsitz A 29 F1
Yenne F 32 A1
Yngsjö S 5 E4
Ystad S 5 D3
Yverdon-les-Bains CH 32 C3
Yvoire F 32 B2

# Z

Zaandam NL 6 A1
Žaga SLO 36 C1
Żagań PL 17 F2
Zahna D 16 B3
Zákupy CZ 23 E3
Zalaapáti H 39 D2
Zalabaksa H 38 C2
Zalabér H 39 D2
Zalaegerszeg H 39 D2
Zalakomár H 39 D1
Zalalövő H 38 C2
Zalaszentbalázs H 39 D1
Zaltbommel NL 12 B3
Zamárdi H 39 E2
Zandvoort NL 6 A1
Zapfendorf D 21 D2
Zarrentin D 9 E3
Żary PL 17 F2
Zasieki PL 17 E2
Žatec CZ 22 C3
Zauchwitz D 16 C3
Zawada PL 17 F3
Zawidów PL 23 F4
Zbraslav CZ 23 D2
Zbraslavice CZ 23 F1
Žďár nad Sázavou CZ 30 B4
Zdar CZ 22 C2
Zdiby CZ 23 E2
Zdice CZ 23 D2
Zdounky CZ 31 D4
Zebrzydowa PL 17 F1
Zehdenick D 10 C1
Zeist NL 12 B4
Zeitz D 16 A1
Želetava CZ 30 B3
Železná Ruda CZ 28 C4
Železný Brod CZ 23 F3
Zeliv CZ 23 F1
Zell D 19 D3
Zell D 25 E1
Zell A 29 D2
Zell am See A 36 B3
Zell am Ziller A 35 F3
Zella-Mehlis D 21 D4
Želnava CZ 29 D3
Zeltweg A 37 E3
Zerbst D 16 A3
Zerf D 18 C2
Zermatt CH 33 D1
Zernez CH 34 C2
Zernien D 9 E2
Zetel D 7 F3
Zeulenroda D 21 F3
Zeven D 8 C3
Zevenaar NL 12 C4
Zgorzelec PL 17 F1
Zickhusen D 9 F3
Židlochovice CZ 30 C3
Ziegenrück D 21 F3
Zielona Góra PL 17 F3
Ziersdorf A 30 B2
Zierzow D 9 F2
Ziesar D 16 B3
Ziethen D 11 D3
Zinal CH 33 D1
Zingst D 4 B1
Zinnowitz D 11 D4
Zinnwald-Georgenfeld D 23 D3
Zirc H 39 E3
Zirchow D 11 D3
Zirl A 35 E3
Žirovnice CZ 30 A4
Zistersdorf A 31 D2
Zittau D 23 E4
Zizers CH 34 B3
Zlatá Koruna CZ 29 E3
Zlaté Moravce SK 31 F2
Žleby CZ 23 F2
Zliechov SK 31 F3
Zlín CZ 31 E4
Zlonice CZ 23 D3
Žlutice CZ 22 C2
Znojmo CZ 30 B3
Zoetermeer NL 12 A4
Zofingen CH 33 E4
Zolder B 12 A2
Zörbig D 16 A2
Zorge D 15 D2
Zorneding D 27 F1
Zossen D 16 C3
Zoutkamp NL 7 D3
Zschopau D 22 C4
Zudar D 10 C4
Zug CH 33 F3
Zuidhorn NL 7 D3
Zuidlaren NL 7 D2
Zülpich D 12 C1
Zundert NL 12 A3
Zuoz CH 34 C2
Zürich CH 33 F4
Zürs A 34 C3
Zurzach CH 25 F1
Zusmarshausen D 27 D2
Züsow D 10 A4
Zutphen NL 12 C4
Zweibrücken D 19 D1
Zweisimmen CH 33 D2
Zwettl A 30 A2
Zwettl an der Rodl A 29 E2
Zwickau D 22 B4
Zwiefalten D 26 B2
Zwiesel D 28 C3
Zwijndrecht NL 12 A4
Zwingenberg D 20 A1
Zwolle NL 6 C1